新世紀

第316号（2022年1月）

The Communist

帝国主義打倒！
スターリン主義打倒！
万国の労働者団結せよ！

2022年1月　No.316　目次

岸田ネオ・ファシズム政権に反撃を

特集　「救国」産報運動を突き破れ

新世紀

日本革命的共産主義者同盟 革命的マルクス主義派 機関誌

日本型ネオ・ファシズム支配体制の強化に反撃せよ

二〇二一年十月三十一日におこなわれた衆議院選挙において、日本人民は、岸田自民党による「絶対安定多数」(二六一議席)の確保を許してしまった。「自由と民主主義の政権か、共産主義が入った政権かの体制選択選挙だ」などとがなりたてた自民党にたいして、「限定的な閣外協力だけだ」とか「根も葉もないデマだ」とかの防衛的対応をくりかえしてきた立憲民主党と日本共産党は、それぞれに議席を減らして惨敗した。

コロナ感染者減少の間隙をついて人民の反発が高まらぬうちに総選挙をしかける、というあくどい賭けにうってでた首相・岸田文雄は、この野党の犯罪的な対応に助けられて、「勝利」を宣することができた。そしてなによりも、総選挙直前に組織内候補を引きおろして自民党に手をさしのべたトヨタ労組の労働貴族、彼らに象徴される「連合」内右派労働貴族の自民党への公然・隠然たる協力によって、この結果はもたらされたのだ。

この結果に岸田は、「政権選択選挙で国民の審判を得た」などとほざいている。日共の腐敗と労働貴族の反労働者的立ちふるまいによってもたらされたこの事態は、日本型ネオ・ファシズム支配体制のさらなる強化を意味する。

すべてのたたかう労働者・学生は、この事態にたいする憤激をバネとして、岸田自民党政権のネオ・ファシズム的反動攻撃にたいする断固たる反撃の闘いをただちにつくりだそうではないか！　日共をはじめとするすべての野党と「連合」指導部の反労働者性はいまや赤裸々に露わとなった。いまこそ、すべての労働者・学生・人民は、わが革共同革マル派とともに、岸田政権の打倒をめざして前進しよう！

自民党と大同小異の政策宣伝に終始した立民・日共

自民・公明の与党は、小選挙区制のしくみを活用して二九三議席を奪いとった。これにたいして立民は十四も議席を減らし（九十六議席）、日共も二議席を減らした（十議席）。他方で真正ネオ・ファシスト党たる日本維新の会が議席を四倍増した。

この事態は、安倍晋三・菅義偉いらいの自・公政権にたいする人民の不満の多くが、立民・日共への幻滅のゆえに、維新への投票として〝吸収〟されたことを意味する。とりわけ比例区において、このことは端的にしめされた。

このような立民と日共の敗北は、いわゆる「野党共闘」を前面におしだした両党が、岸田自民党のしかけた「体制選択選挙」の罠にはまりこんで、「政権担当能力」なるものを空語的に叫びたて、岸田政権と〝大同小異〟の政策の宣伝に終始したことの帰結にほかならない。

選挙期間中に惹起した中・露の艦隊による〝日本一周〟の軍事的威嚇行動や北朝鮮の新型ミサイルの連続的発射――このような事態を眼前にして、「日米同盟の強化」と・それを基礎にしての「ミサイル防衛」や「防衛費倍増」を叫びたてたのが、自民党であった。これにたいして、「日米同盟を基軸とした現実的な外交・安全保障」を前提としての「専守防衛」の〝代案〟を対置したのが枝野幸男の立民であり、この立民からソデにされないように、「安保反対」を徹底して封印したのが、日共志位指導部であった。

経済政策をめぐっても、岸田が敷いた「成長と分配の好循環」という土俵のうえで、自民党と五十歩百歩の「分配重視」を空叫びしたにすぎないのが立民なのだ。

コロナ・パンデミック下で資本家によって数多の労働者が解雇され路頭に放りだされている。生活する糧を失い、食料配布の列に並んで飢えをしのがざるをえない人民が激増している。このような労働者・人民がたぎらせている自民党政権への憤懣とは無縁なところで、「政権担当は可能だ」などと宣伝していた立民・日共の指導部は、怒れる労働者・人民から完全に見放されたのだ。

自民党の過半数維持に加担した「連合」労働貴族弾劾!

岸田自民党の過半数維持という事態は、同時に、選挙過程での「連合」やＪＣの労働貴族の犯罪的な立ちふるまいによってもたらされたものにほかならない。

自動車総連の最大労組たる全トヨタ労連は、総選挙直前に組織内議員に不出馬を表明させ、もって選挙区での自民党候補の当選を助けるという挙にでた（本号「政府・自民党にすがりついたトヨタ労働貴族」論文参照）。このトヨタ労働貴族を先頭にして、ＪＣメタルや電力総連などの右派労働貴族は、日共との協定で「野党統一候補」となった立民の候補にたいしての支援を拒否し、選挙区によっては自民党候補を半ば公然と応援したのだ。「連合」会長・芳野友子は、選挙結果について、「立民の共産党との共闘で、連合組合員の票が行き場を失った」などとうそぶき、立民執行部に「しっかり総括せよ」と迫っている。

この芳野は、岸田が創設した「新しい資本主義実現会議」という政府会議に、岸田の招請に応じて参加した。そのことによって「連合」指導部は、首相

・NSC（国家安全保障会議）の専制的支配体制――日本型ネオ・ファシズム支配体制の今日的姿態としてのそれ――の機構のなかにがっちりと組みこまれた。その彼らは、今次総選挙において〝立民・共産連合の敗北＝自民党政権の存続〟のためにこそ狂奔したのだ。

いまや〝日本型ネオ・ファシズム政権を支える労働運動〟への道に公然と踏みだしたのが、「連合」指導部とその傘下の民間大産別労働貴族なのだ。労働組合員をネオ・ファシズム政権の尻押し部隊として売りわたした労働貴族を徹底的に弾劾せよ！

岸田政権による大軍拡と憲法改悪の攻撃を打ち砕け

「総選挙で国民の信任を得た」とうそぶく岸田は、獲得した「絶対安定多数」の議席を盾にして、いま一大軍拡と憲法改悪にうってでようとしている。

今回の総選挙は、台湾を焦点とするアメリカ・日本と中国との軍事的角逐がこれまでにないかたちで熾烈化するただなかにおいておこなわれた。中国軍の威嚇的な軍事行動や北朝鮮のミサイル発射を〝奇貨〟として、岸田自民党は、新たな国家安全保障戦略・防衛計画の大綱・中期防衛力整備計画の策定、軍事費の対GDP比二％＝一〇兆円規模への大増額、「相手領域内での弾道ミサイル阻止」＝敵基地攻撃体制の構築、AI（人工知能）兵器の開発などを列挙した「選挙公約」を極右の高市早苗につくらせ、それを大宣伝した。いまやこの「公約」を実現するときだ、と叫んで、一大軍拡にうってでようとしているのが、岸田政権なのだ。

コロナ・パンデミックをも契機として熾烈化した米・中の冷戦的激突のもとで、この政権は、台湾の「完全統一」にむけて攻勢をしかける習近平の中国を封じこめるために、バイデン政権の要求に応えて日米共同の対中国戦争遂行体制を一気に強化しようとしている。

岸田は、選挙中に「日本が価値観の対立の最前線にある」と叫んだ。この男は、中国を軍事的に包囲するために「専制主義にたいする民主主義の戦い」の名において日米軍事同盟と米英豪軍事同盟(AUKUS)とをリンクすることを策しているバイデン政権にあくまでもつき従うという意思を表明した、というだけではない。「アフガン撤退」にしめされたバイデン式の〝アメリカ第一主義〟に、「台湾有事」に際してアメリカから日本が見捨てられるのではないか、という底知れぬ不安に岸田は襲われているのだ。まさにそれゆえに彼は、安倍＝高市が強力に主張する「敵基地攻撃能力保持」や「防衛費倍増」を、みずからの政権の〝使命〟として強行しようとしているのである。

それとともに岸田政権は、憲法第九条の破棄と緊急事態条項の創設を柱とする憲法大改悪にいよいよのりだそうとしている。自民党タカ派の別働隊である維新の議席拡大によって、衆議院内の改憲賛成派は改憲発議が可能な三分の二を超えた。「連合」内右派労働貴族にコントロールされた国民民主党もまた、「改憲論議」に加わる姿勢をおしだしている。今が正念場だ。

憲法改悪を絶対に許すな！ 敵基地先制攻撃体制の構築・軍事費大増額を断固として阻止せよ！「台湾有事」に備えての日米共同の対中国臨戦態勢の構築を許すな！ 日米軍事同盟の対中国グローバル同盟としての強化に反対しよう！

すべての労働者・学生・人民諸君！ 日共中央と「連合」労働貴族の腐敗を弾劾し、反戦反安保・改憲阻止の闘い、そして〝コロナ不況〟を口実とした独占資本家による〝デジタル合理化〟と首切り・賃下げ攻撃を打ち砕く政治経済闘争に日本全国で起ちあがれ！ 安倍・高市ら真正ファシストに羽交い締めにされた岸田日本型ネオ・ファシズム政権の打倒をめざしてたたかおう！

（二〇二一年十一月一日）

岸田新政権の反動攻撃を粉砕せよ

〈米中冷戦〉下の戦乱勃発の危機を突き破る反戦闘争を！

中央学生組織委員会

二〇二一年十月四日、岸田文雄を首班とする自公新政権が発足した。全学連のすべてのたたかう学生諸君！　わが中央学生組織委員会は、この新政権がうちおろすいっさいの反動攻撃を粉砕するために、全国のキャンパスからただちに総決起すべきことを訴える！

岸田は政権発足に先立つ党役員人事において、ネオ・ファシスト安倍晋三の腹心にして疑獄まみれの甘利明を幹事長にすえ、さらには自民党の総選挙政策策定の責任者たる政調会長には、「精密誘導ミサイルの保有」とか「軍事費を一〇兆円に」とかと叫ぶ安倍崇拝者の〝戦争狂〟高市早苗をすえた。こうしたネオ・ファシストどもを党三役に配したことは、岸田新政権が、七年八ヵ月にわたり悪の限りを尽くした安倍政権と同様のウルトラ反動攻撃に狂奔するにちがいないことを、はっきりとしめしている。

いまアメリカ帝国主義バイデン政権の率いる米・日・英・豪の諸国軍と中国軍とが、台湾近海において、また東・南シナ海において、相互対抗的に軍事演習という名の軍事的威嚇行動をくりひろげている。まさに台湾や南シナ海を発火点とした戦乱勃発の危機はかつてないほどに高まっているのだ。しかも、ロシアおよび中国にバックアップされた北朝鮮が連続的に弾道ミサイル・巡航ミサイルそして極超音速ミサイルの発射を強行している。

このような東アジアで高まる軍事的危機のただなかで発足した岸田政権は、「日本は価値観の対立の最前線にいる」と危機感をあらわにしながら、ヨレヨレのバイデン政権とともに「敵基地先制攻撃体制」の構築をはじめ、日米軍事同盟を強化する策動に血道をあげようとしているのだ。

われわれはいまこそ、東アジアを発火点とする戦争勃発の危機を突き破るために、米・日・英・豪と中国とによる相互対抗的な軍事演習の応酬に反対する断固たる闘いを、全世界人民と連帯してまきおこすのでなければならない。

この決定的なときに日本共産党の不破＝志位指導部は、間近に迫った総選挙にむけて、立憲民主党などととりむすんだ「野党共通政策」の宣伝に埋没し、「反基地」「反改憲」などのいっさいの大衆的な闘いを放棄している。この既成指導部の闘争放棄をのりこえ、いまこそ革命的反戦闘争の爆発をかちとれ！

労働者・学生・人民の力で岸田自民党政権を倒せ！

10・17労働者・学生統一行動に総決起せよ！

Ⅰ　激動する現代世界

A　台湾海峡・南シナ海を焦点として高まる戦争的危機

いま、台湾海峡・南シナ海を焦点として、米日英豪―中国の戦乱勃発の危機がますます高まっている。

中国権力者が軍事拠点を構築し、すでに事実上領海化している南シナ海において、米バイデン政権と英ジョンソン政権は、すでにこの海域に展開している米「ロナルド・レーガン」空母打撃群に、日本方面から南下している英「クイーン・エリザベス」空母打撃群を合流させ、十月中にも米英合同（あるいはオーストラリアも加えた三ヵ国合同）の「軍事演習」という名の対中国軍事行動を強行しようとしている。

台湾をめぐっては、中国が台湾周辺で「統合作戦能力の向上のため」とうたう海空軍合同の軍事演習を強行したまさに同じ日に、米海軍のミサイル駆逐艦「バリー」が台湾海峡を通過した（九月十七日）。台湾の蔡英文政権がＴＰＰ（環太平洋経済連携協定）加盟を申請したことを発表（九月二十二日）した翌日の二十三日には、中国軍はこの蔡英文政権およびこれを軍事的・政治的に支えるバイデン政権を恫喝するために、二十四機もの中国軍機を台湾の防空識別圏に突入させた。

バイデン政権と連携した英ジョンソン政権も、「クイーン・エリザベス」空母打撃群にぞくするフリゲート艦「リッチモンド」を台湾海峡に侵入させるという挙に出た（九月二十七日）。〔なおイギリス海軍トップは、インド太平洋地域に今後五年間は英海軍哨戒艦二隻を常駐させると表明している。〕

そしてこの角逐のまっただなかで、台湾にほど近い沖縄南西海域において、米・英・オランダ軍など

目次

と日本国軍との合同大軍事演習が、米・英空母三隻を含む十七の艦船を投入し強行された。まさに、台湾海峡はいつなんどき戦乱の火が噴くともしれぬ危機にあるのだ。

習近平政権は、コロナ・パンデミック下で感染拡大に見舞われたアメリカ帝国主義の衰退を眼前にしたいま、「台湾の完全統一」という国家目標をより早期に実現することをめざして、台湾併呑をめざした軍事的な攻勢を強めている。すなわち中国権力者は、「台湾有事」の際に米軍が介入してくることを想定し・これを粉砕するという軍事作戦計画にのっとって、台湾周辺や東・南シナ海で軍事演習をくりひろげている(その回数は、六月から八月までの三ヵ月間でじつに一二〇回にのぼったといわれている)。それとともに、米軍の台湾近海への侵入を阻むために、台湾はもちろん在日米軍基地やグアム基地を射程に収める数千発の中距離弾道ミサイルを大陸沿岸部に配備しているのだ。——バイデン政権のバックアップをうけた蔡英文の民進党を政権から追い落とすために、野党・国民党にたいしてテコ入れを強めるという政治的工作をもおこないながら。

習近平政権が台湾の「統一」に血眼になっているのは、軍事的には、米本土を射程に収めるSLBM(潜水艦発射弾道ミサイル)を搭載した原子力潜水艦をアメリカに探知されることなく西太平洋の深海に送りこむためには、台湾に軍港を確保することが不可欠とみなしているからなのだ。

これにたいして、「六年以内に中国は台湾に侵攻する」という危機感のとりこになったアメリカのバイデン政権は、日本・イギリス・オーストラリアなどを動員して、中国を威圧する軍事演習をくりかえしている。とりわけ日本軍とのあいだでは、〝グアム・ハワイおよび在日米軍基地の米軍部隊が日本国軍とともに中国国内のミサイル発射拠点を先制攻撃し破壊するとともに、「第一列島線」上に展開する部隊が中国海軍・空軍部隊を一挙に殲滅する〟という作戦計画(EABO=遠征前進基地作戦)にのっとって、合同軍事演習をくりかえしているのである。

首都中枢を進撃する全学連・反戦（10月17日、東京・霞が関）

バイデン政権は、いわゆる「台湾有事」のさいに中国軍が中距離弾道ミサイルによる一斉攻撃にうってでたばあいには、日本列島やグアムの米軍基地が壊滅的打撃をうけることは不可避とみている。まさにそれゆえにバイデン政権・米軍は、この中国のミサイル基地を無力化しうる攻撃体制を構築するという構想にのっとって、「第一列島線に沿った精密攻撃ネットワーク」という名のもとに、日本列島やフィリピンなどに地上発射型中距離ミサイルを大量配備しようとしているのである。そして、「属国」日本の権力者にたいしても、中国本土に到達する長射程スタンドオフ・ミサイルなどの配備を急ぐように要求しているのだ。

アメリカ権力者も中国権力者も、「台湾をめぐる米・中の軍事的激突」という未在の戦争状態を想定しつつ、この「想定されうる戦争状態」で敵を軍事的に撃滅しうる「軍事作戦方針」をうちだし、これにのっとって台湾や南シナ海周辺で軍事行動を相互対抗的にくりひろげているのだ。まさにこのゆえに、台湾・南シナ海を発火点とする米・中の戦争勃発の危機が一挙に高まっているのである。

このような米英豪日と中国との角逐のまっただなかで、北朝鮮の金正恩政権は、巡航ミサイルや列車発射型弾道ミサイル、さらには極超音速ミサイルなどをたてつづけに発射するという新たな策動にうってでている。中国の軍事的攻勢への対応に促迫されているバイデンの足元をみている北朝鮮は、「対北の調整された現実的アプローチ」を唱えるこのバイデン政権から「敵視政策撤回」「制裁解除」につながる譲歩をひきだすことをもくろんで、MD（ミサイル防衛）システムではまったく撃ち落とせない・変則軌道で飛行する巡航ミサイルや極超音速ミサイルなど（ロシアの技術的支援によって獲得したと思われるそれ）を相次いで見せつけているのだ。これらは、在日米軍基地のみならずグアム基地をも射程に収めるように開発がすすめられている。こうした北朝鮮をバックアップしているのがロシア・中国の権力者であり、これら両国権力者は国連安保理による対北朝鮮制裁の解除をも要求しているのだ。

B　対中包囲網構築に突き進むアメリカと中露連合との角逐

（1）台湾海峡や南シナ海における中国の軍事的攻勢に直面しているアメリカ帝国主義のバイデン政権は、イギリスおよびオーストラリアとのあいだでとりむすんだアングロサクソン三国軍事同盟と日米軍事同盟とを連結させながら、対中国の軍事的な陣形を構築せんと躍起になっている。

アメリカ大統領バイデンは九月十五日、英首相ジョンソン・オーストラリア首相モリソンとのオンライン会議において、「二十一世紀の共通の脅威に立ちむかう」ための「新たな安保協力の枠組み」と称して「AUKUS（オーカス）」の創設をうちあげるとともに、この「安保協力」の第一弾として、オーストラリアによる原子力潜水艦の導入を米英が技術的に支援することを発表した。

太平洋に展開する海軍力の、米軍をしのぐハイペースでの増強をおしすすめ、これを基礎に「第一列島線」を越え西太平洋への進出を強めている習近平中国（米軍当局の予想では、中国軍の潜水艦戦力はむこう四年で六倍になるとされている）。この中国の攻勢をおしとどめるためにバイデン政権は、――モリソン政権がフランス企業と共同開発してきた通常型（ディーゼル型）潜水艦の性能と高額開発費に不満を抱き、原潜開発へののりかえをジョンソンにひそかに相談してきたことに乗じて――太平洋地域に展開する原潜戦力の一部を豪州に肩代わりさせることを企図したのだ。核保有六ヵ国（米英仏中露印）しか保有していない原潜の技術を豪州に提供することをシンボルとした「ＡＵＫＵＳ」なるものの創設は、まさにアングロサクソン三ヵ国による核軍事同盟の構築を画したものにほかならない。

だがしかし、フランス権力者にはなんらの事前の根回しもおこなうことなく「ＡＵＫＵＳ」を結成し豪仏間の潜水艦開発計画（七兆円）をご破算にしたバイデン政権は、それゆえにフランス大統領マクロンの激しい怒りを買ったのであった。マクロン政権は、「背後から刺された」「この一方的なやり方はトランプと同じ」という〝最大級〟の非難をバイデンに投げつけ、一時は駐米大使召還という異例の措置に出たほどであった。

そればかりではない。「ＡＵＫＵＳ」三ヵ国とともに「ファイブ・アイズ」の一角をなすニュージーランドのアーダーン政権もまた、――「非核」を国是としていることのゆえに――「核エネルギーで動く船はわが領海には入れない」と米英豪権力者への反発をあらわにした。バイデン政権が中国に対抗してそのとりこみをはかってきたところのＡＳＥＡＮ諸国のなかでも、インドネシアやマレーシアの権力者が、「ＡＵＫＵＳ」の結成にたいして「核軍拡競争を招く」と「懸念」を表明するにいたった。

「民主主義と専制主義との戦い」を唱えるバイデンが「一国では中国に立ちむかえない」とほざきながらおしすすめてきたところの、アメリカ同盟国を核として「民主主義」諸国を結集させていくという追求は、まさにいたるところでその破綻をあらわにしているのである。このことじたいに、アメリカ帝国主義の没落ぶりがあらわになっているのだ。

見よ！　アフガニスタンにおいて二十年にわたり「対テロ戦争」の名のもとにムスリム人民の頭上に爆弾をふりそそぎ、この地を無人機の実験場と化し、殺戮と暴虐をほしいままにしてきた米軍の、その惨めきわまりない敗走を！　台湾・南シナ海での中国の攻勢に促迫されたバイデンが、東アジアへの兵力集中のために米軍のアフガンからの最終的撤退を開始したこと。この機をとらえてタリバンは――中・露のバックアップのもとに――〝破竹〟の勢いで首都カーブルを陥れた。アメリカが育成した腐敗まみれのガニ政権の倒壊（ガニは金塊と札束をヘリにつめこんで逃走）を眼前にしながらバイデン政権は、英仏独伊などの欧州権力者による「駐留延長」要請をもはねつけ、残存米軍をほうほうの体で逃げ帰らせた。まさにそのことのゆえに欧州や台湾の権力者は、「アメリカは同盟国を見捨てた」と、バイデン政権にたいする深い不信の眼をむけているのだ。

ガニ政権を見捨て・欧州同盟国を無視してのアフガンからの米軍撤退、そしてそれにつづくオーストラリア潜水艦契約のフランスからの横取り。これらのゆえに、いまやバイデン政権がかかげる「多国間主義」なるものは、アメリカ一国の利害を貫徹するために他国をひきまわし・ないがしろにすることの別名でしかないことがあまねく知れわたっている。バイデンのアメリカの国家的威信は「再興」どころか、もはや地の底まで落ちているのだ。

（2）この没落帝国のありさまを「米国のつくりあげた同盟国の体制はますます緩んでいる」と嘲笑しつつ、バイデン政権にたいして「小さなサークル作り」はやめよと居丈高に迫っているのが、ネオ・スターリン主義中国の習近平政権である。この政権はいま、プーチン政権と二人三脚で、「内政干渉反対」を旗印にしたところの・実質上の反米軍事同盟としてSCO（上海協力機構）をいっそう強化する追求にふみだしている。

まさにこの策動をあからさまにしたのが、米英豪「AUKUS」創設表明直後の九月十六〜十七日にタジキスタンの首都ドゥシャンベで開催されたSCO首脳会議であった（習近平とプーチンはオンラインでの参加)。

　この場において、会議を主導した中・露権力者は、日下バイデン政権との「核交渉」にのぞんでいる反米のシーア派国家イランのハメネイ・ライシ政権を反米同盟にくみこんだことを誇示するために、長らくオブザーバー扱いであったイランを正式加盟国へと実質的に〝昇格〟させた(正式加盟手続きの開始を合意)。

　また中・露権力者は、「テロや麻薬と無縁なアフガン国家樹立を支援する」という名において、タリバンの新政権を――タリバンが新疆ウイグル自治区のウイグル独立派組織「東トルキスタン・イスラム運動(ETIM)」や中央アジア周辺諸国のイスラム急進主義勢力を支援しないことや、タリバン以外の政治勢力を一定程度政権に加えることなどを条件として――SCOとして支援してゆくことについて、加盟諸国からの承諾をとりつけた。同時に、いまバイデン政権が「アフガンの治安維持にひきつづき関与する」ことを口実として・中央アジア諸国に米軍機の出撃拠点を新たに設置しようとたくらんでいることにたいしては、これを阻止するために「テロ対策の名によるアメリカの内政干渉反対」を一致点としてSCO加盟国を固めなおしたのであった。

　さらに、これらSCO諸国との軍事的協力関係をいっそう強化するために中・露権力者は、首脳会議にあわせて「テロ対策」「国境警備」を名目としたSCO合同軍事演習を強行した。

　まさにこのSCO首脳会議こそは、中・露権力者がアフガニスタンからの米軍撤退という機をとらえて、没落のアメリカ帝国主義を包囲する反米国家連合構築の策動を一歩おしあげたという意味をもっているのだ。

　習近平政権は国内においては、深まりゆく中国経済の危機(不動産大手「恒大集団」の経営危機を見よ)のなかで、犠牲を一身におしつけられた勤労人民や、三億人ともいわれる「農民工」の怒りの噴出におびえている。それゆえに習近平は、みずからを「建国の父」毛沢東になぞらえつつ、「中国共産党への感謝」を全人民に強制するとともに、「共同富裕」なる毛沢東が唱えたスローガンをかかげて所得再分配政策（巨大ＩＴ企業からの「寄付」の強制など）に力を入れていることをおしだしている。同時に、人民の反乱を封じこめるためにデジタル監視体制の強化に血道をあげているのである。

香港をめぐっては、「国家安全維持法」をふりかざした凶暴な弾圧攻撃によって「民主派」団体のことごとくを解散・解体に追いこみ、香港人民を強権支配のくびきのもとに組み伏せている。若者層にたいしては、彼らの〝香港人〟意識をぬぐいさるための「愛国教育」を——広東語でなく北京語の使用の強要と結びつけ——強制しているのだ。そして新疆ウイグル自治区においては、ムスリム人民の「反政府」的闘争を根絶やしにし・漢民族への「同化」を促す悪逆な策動をさらに強めようとしている。

まさにアメリカ帝国主義との「世界の覇者」の座をかけた闘争にかちぬくために習近平政権は、国内における勤労人民の、そして「少数民族」のいっさいの反乱の芽を摘み取ることに血眼になっているのである。

C　＜米中冷戦＞の現局面

コロナ・パンデミックから一年半の現在。新型コロナ感染爆発に見舞われた軍国主義帝国アメリカの凋落を眼前にして、「今世紀半ばまでに社会主義現代化強国にのしあがる」という国家目標と「世界の中華」として君臨するという世界戦略を一気に実現するために突進を加速した習近平率いるネオ・スターリン主義中国と、「同盟の再構築」の旗のもとにこれへの必死の巻き返しにうってでたバイデンのアメリカ帝国主義との＜米中冷戦＞はいっそう尖鋭化している。その焦点こそがまさに台湾なのである。

「中華民族の偉大な復興」のために不可欠とみなした台湾の「完全統一」にむけた攻勢を強める中国。この中国の一挙的攻勢を前に焦りをたぎらせたバイデン政権は、中国との「二十一世紀を決定づける戦略的競争」にうちかつために、アフガニスタンから米軍兵力を最後的にひきあげ、「最も重要な地域」とバイデンじしんが呼ぶインド太平洋地域にその兵力を集中しようとしている。と同時に、同盟諸国――日米安保の鎖でしめあげた「属国」日本、「グローバル・ブリテン」の再興をうたう国家戦略にのっとって〝アジア回帰〟をはかるジョンソンのイギリス、そして中国の太平洋進出に危機感を昂じさせるモリソンのオーストラリア――との軍事同盟の強化にいっそう躍起になっている。

　ＥＵの中核をドイツとともに担うマクロンのフランス帝国主義もまた、「太平洋国家・フランス」なるものを唱えながら、インド太平洋地域における中国への軍事的対抗（艦船の派遣と米日などとの合同演習）を強めている。とはいえ、ＥＵの最大の貿易相手国たる中国との経済的結びつきの強さからして、フランス権力者は対中国戦略をめぐっては、中国を「脅威」「唯一の競争相手」と烙印するバイデンのアメリカとは一定の距離を保つことを鮮明にしている。

　こうして、帝国主義諸国のあいだでは不協和音を奏でながらも、米・日にくわえて英、そしてさらには仏（・独）までもがインド太平洋地域に自国軍隊をさしむけ、中国と対峙するという現局面がつくりだされている。これに直面している中国のネオ・スターリニスト権力者は、――帝国主義諸国の軍隊が東アジアに総結集してきている現状を、かつて清朝時代の中国が米欧日列強によって軍事力でねじふせられ租借地の提供や巨額賠償金の支払い・列強軍隊の駐留などを強制された〝屈辱の歴史〟と重ね合わせながら――いまや「中華民族の偉大な復興」という野望をたぎらせつつ、もともと「中華民族」のものであるとみなしている台湾や尖閣諸島をおのれの支配下に収めるための策動に拍車をかけているのだ。

このような角逐をくりひろげる各国権力者どもは、まさにそのゆえに空前の軍拡につきすすんでいる。世界第一、二位の軍事力を有する米―中ばかりではない。イギリスのジョンソン政権は、ＳＬＢＭ「トライデント」の保有上限を撤廃し、核軍拡への道をすすみはじめた。オーストラリアのモリソン政権は、米英の技術供与をテコに、原潜八隻、さらにはトマホークやスタンドオフ・ミサイルを獲得する計画さえも披瀝している。まさにインド太平洋地域を舞台にした新たな大軍拡時代の幕が開けたのである。

しかも、米―中・露の権力者どもは、戦争の火が噴きあがるその時にそなえて、宇宙空間やサイバー空間にまたがる軍拡競争をも熾烈にくりひろげるとともに、相手国のインフラや政府・軍の中枢施設をターゲットにしたサイバー攻撃を相互にくりひろげている。さらに、相手国の政権基盤を弱体化させることをねらって、ＳＮＳ（ソーシャルネットワーキングサービス）空間にいわゆるフェイク・ニュースを膨大に垂れ流してもいる（これは現代の諜報戦という意味をもつ）。この意味でまさに米―中・露はすでにプレ戦争状態に入っているといっても過言ではないのだ。

まさしく、台湾海峡、南シナ海、あるいは朝鮮半島を発火点とした、世界的大戦の勃発前夜というべき危機につつまれているのが現代世界なのだ。

Ⅱ　反動性をむきだしにする岸田新政権の登場

十月四日に成立した岸田の新政権は、労働者・人民に「戦争と貧困」を強制する文字通りの極反動政権にほかならない。そのことは、岸田自民党の役員人事にはっきりとしめされている。

岸田が政調会長に任命した高市は、総裁選の過程で「アメリカの中距離ミサイル、できれば長距離ミサイルを西日本に配備すれば、中国全体の航空基地も射程に入る」「防衛費はGDP比二％（一〇兆円）に」などと、アメリカとともに北朝鮮のみならず中国をも撃滅しうる先制攻撃体制構築と大軍拡を先頭でがなりたててきた輩にほかならない。安倍を師と仰ぐ真正の軍国主義者であるこの高市を岸田は、総選挙の政権公約づくりを統括する政調会長に任命したのであった。これに加えて、安倍・麻生太郎と結託する甘利を党幹事長に配した、あまりにも反動的な布陣の岸田自民党の新政権が、発足と同時に──安倍政権のあらゆるネオ・ファシズム的な政策を継承して──日本をアメリカとともに「戦争をやれる国」に改造する諸策動を一気呵成にうちおろしてくるであろうことは火を見るよりも明らかなのだ。

しかも、かつて安倍政権時にＵＲ（都市再生機構）への口利き疑獄を暴露され経済再生相辞任に追いこまれた甘利を党ナンバー2の幹事長にすえたということは、安倍政権・ＮＳＣ（国家安全保障会議）のもとでの「モリ・カケ・サクラ」などにしめされる腐敗に満ちた利権構造を、岸田政権がはじめからビルトインしていることの何よりの証なのだ。

閣僚人事をめぐっては、ＴＰＰ交渉を担当し「タフネゴシエイター」の異名をもつ外相・茂木敏充や、対中強硬派で親台湾の防衛相・岸信夫（安倍の弟）といったＮＳＣ構成閣僚を留任させた。まさにそれは、米中冷戦の熾烈化という情勢のもとで、中国のＴＰＰ加盟を阻み・対中国の軍事強硬策をバイデン政権とともに遂行するという陣容をととのえていることをしめすものにほかならない。

まさにこうした一連の人事が、岸田の総裁選勝利をプロモートした安倍・麻生を中心とする自民党内ネオファシスト・グループの意志を体現したものであることは明白である。〝タカにわしづかみにされたハト〟＝岸田を首班とするこの政権は、日米軍事同盟のグローバル同盟としての強化、憲法の明文改悪などを〈米中冷戦〉のもとでの日本帝国主義国家の危機突破策として遮二無二おしすすめようとするにちがいない。

岸田の新政権は、アメリカをしのぐ超大国として世界に君臨する「社会主義現代化強国」にのしあがろうと突進する習近平の中国と、この中国にたいする軍事的・政治的・経済的の巻き返しをはかるバイデンのアメリカとが、まさに台湾を焦点として激しく角逐するという東アジア情勢の激動に直面している。

日本の目と鼻の先たる台湾の「武力統一」をもかまえて、蔡英文の台湾やその背後のアメリカ帝国主義にたいする威嚇的な軍事行動をくりかえすとともに、尖閣諸島の奪取をねらって「海警」による「領海」侵入をくりかえす習近平中国。日本の既存のMDシステムではまったく対処できない新型の巡航ミサイルや短距離弾道ミサイル、極超音速ミサイルの発射をくりかえす「核保有国」の北朝鮮。そして、アジア太平洋地域に進出するために北方四島をミサイル基地としてますますうちかためるとともに、北朝鮮にたいする軍事技術のテコ入れをもおこなっているプーチンのロシア――これらと対峙している岸田新政権は、まさにバイデンのアメリカがおしすすめる「同盟の再構築」の策動に積極的に加担し、日米軍事同盟を飛躍的に強化するとともにこれを米英豪アングロサクソン三国同盟と連結してゆくことを日本帝国主義の生き残りのための進路としようとしているのだ。日米安保の鎖で縛られた「アメリカの属国」日本の宰相・岸田には、まさにヨタヨタ・バイデンのアメリカ帝国主義にすがる以外に道はないのだからである。だがそれは、戦争と暗黒支配に労働者・人民をたたきこむものにほかならない。

まさにいまこのときも、政府・防衛省は、全国から一〇万人におよぶ陸自部隊と二万の車両、航空機一二〇機などを投入し、一九九三年いらい三十年ぶりという史上最大規模の大軍事演習を強行しつづけている(十一月下旬まで)。日本国軍は、「台湾有事」において中国軍を撃破する軍事作戦計画にのっとって、在日米軍の全面的なバックアップをうけながら、「機動展開等訓練」(民間のフェリーなども活用して三個師団または旅団を同時に機動展開する訓練)、「兵站・衛生訓練」(民間船舶や鉄道を活用して作戦に必要な物資を輸送する訓練)、「出動整備訓練」(予備自衛官も動員した防衛出動訓練)、などの実戦的演習を、日本全土を舞台としてくりひろげているのである。この軍事演習の強行は、東アジアにおける中国とのあいだの戦乱勃発の危機をいやましに高めているのだ。

経済政策をめぐっては、総裁選のさなかには「新自由主義から転換」した「新しい資本主義」なるものを唱えていたのが岸田であった。その内実は先端科学技術開発や「クリーン・エネルギー開発」に携わる企業への投資・支援策をズラリと並べたものであり、新型コロナ蔓延下で危機におちいった独占資本の救済のための政策にほかならなかった。岸田は、安倍直系分子が牛耳る新政権のもとでは、前政権との区別立てのためにおしだしてきた「令和版所得倍増」とかの主張もお蔵入りにし、悪名高き「アベノミクス」の継承という、労働者・人民を困窮にたたきこむ悪政を続けてゆくにちがいない。

すでに失業者は二一一万人におよび、さらに休業者＝「隠れ失業者」も二一二万人に達する。着の身着のままで社員寮を追い出され、炊き出しの列に並ぶことによってその日その日を辛くも食いつなぐ人々も後を絶たない。さらに、小麦製品価格の一〇％上昇などの物価高が人民に襲いかかっている。この秋から冬にかけてますます労働者・人民が困窮を深めようとしているなかにあって、独占資本救済や日本の軍事費増額のためにこそ血税を惜しげもなく投入し、さらには物価上昇を目標とする金融政策を続けようとしているのが新首相・岸田なのである。

Ⅲ　既成反対運動の腐敗と全学連の闘い

岸田の新政権の登場をまえにして、日本共産党の不破＝志位指導部はいったい何をやっているのか。

現時点の彼らは、岸田新政権について「表紙を変えても中身は変わらない」と非難するとともに、間近に迫った総選挙にむけて、九月八日に立憲民主党・社会民主党・れいわ新選組とのあいだで合意した「衆議院総選挙における野党共通政策の提言」（「憲法に基づく政治の回復」「科学的知見に基づく新型コロナウイルス対策の強化」「格差と貧困を是正する」など六項目）を大宣伝することに下部党員をひたすらかりたてている。彼らは、〝政権交代こそ一番の近道〟という名のもとに、憲法改悪反対や「反基地」の大衆的闘い、またげんに自衛隊が米軍とともにくりひろげている大軍事演習に反対する闘いなどの創造を放棄しさっているのだ。

九月三十日、立民代表・枝野幸男と日共委員長・志位和夫とのあいだで、総選挙で政権交代を実現したばあいの政権の枠組みについて、〝共産党は、四党間の政策協定を実現する範囲内で「限定的な閣外協力」をおこなう〟という合意が交わされた。このことは、「次期総選挙で立民などとともに日共も参画した『野党連合政権』を樹立する」などという日共中央の妄想的な展望がついえさったことを意味する。にもかかわらず代々木官僚どもは、この合意を「画期的な成果」などと喧伝しつつ、「野党統一候補」を尻押しする集票活動のために必死に下部党員の尻をたたいている。そして、「健全な日米同盟」を党是とする立民にあくまですりより、下部党員が「反安保」などをかかげることを抑圧しつづけているのである。

この日共中央の議会主義的な歪曲をのりこえ、英空母「クイーン・エリザベス」やその随伴艦の横須賀など日本各地への入港に反対する闘い、日本国軍がくりひろげている空前の大軍事演習強行に反対する闘いや、沖縄県名護市における辺野古新基地建設の強行に反対する反基地闘争などを、「日米グローバル同盟反対」の旗たかく断固としてくりひろげているのが、戦闘的・革命的労働者と連帯した全学連のたたかう学生たちなのだ。

Ⅳ　反戦反安保・改憲阻止闘争の一大爆発をかちとれ

A　「反安保」を完全放棄する日共中央を弾劾せよ

（1）代々木官僚は、立民の枝野執行部から「閣内協力はしない」と言われているにもかかわらず、十月四日の首班指名選挙で「枝野」に投票すること、総選挙での選挙協力をおこなうことを立民にたいして確約した。「新しい政治開く画期的な前進」（『しんぶん赤旗』十月二日付）と舞いあがり、〝いつか閣内に入る日〟を夢見て日共のなけなしの票田をさしだすという、代々木官僚のこの愚かさはどうだ！

彼らは来る総選挙にむけて、いっさいのとりくみを立民などと合意した「野党共通政策」（そこには当然にも「反安保」は入っていない）の宣伝に解消している。いま、台湾や南シナ海を焦点とした米日―中の戦乱勃発の危機が刻一刻と高まっているなかで、日米両権力者がくりひろげている「対中国」の軍事演習に反対する闘いをはじめ、いっさいの反戦・反改憲の大衆的闘いを放棄しているのだ。このことじたいがきわめて許しがたいではないか。

心ある日共の下部党員諸君！　いまこそ、これまで下部党員にたいして立民への「リスペクト」を強要し・「反安保」も「反ファシズム」も投げ捨ててきた日共中央にたいする造反をさらに拡大し、わが同盟とともにたたかおうではないか！

（2）米日英豪と中国との台湾をめぐる戦乱勃発の危機の高まり。日米両軍が一体となっての・中国軍撃破の作戦方針にもとづく大軍事演習の強行。「台湾有事」は「存立危機事態」であり安保法制の適用対象だと叫ぶ自民党政治エリートどもの跋扈。こうした情勢下で、「安保法制」にもとづく日本の米英などとの軍事協力に反対する闘いを放棄する日共中央にたいするわが革命的左翼の批判が、日共下部党員の共感を呼び、党中央への造反が続出している。日共委員長・志位がこんにちおずおずと次のように言いだしたのは、まさに代々木官僚の自己保身のあらわれにほかならない。いわく――「自公政権が、米国の対中国軍事戦略に追随して、空前の大軍拡を進め、台湾海峡をめぐる問題に関して安保法制を発動する可能性にまで言及していることは看過できない大問題です。憲法違反の安保法制をきっぱり廃止し、日本列島に戦火を呼び込む危険な道を断固として拒否しようではありませんか」(九月八日、第三回中央委員会総会での志位の幹部会報告。以下断りなき引用は同報告より)と。

だが、このような下部党員をモンピーするために口にしはじめた彼らのこの主張それじしんがきわめて反プロレタリア的なものにほかならないことをここでは暴露しておこう。

まず第一に、日米の両権力者が中国にたいしてくりひろげている軍事演習や、日本国家の軍備増強などにかんして、代々木官僚は次のように主張する。「最も抑制すべき道は、軍事対軍事の対立のエスカレート」であり「中国の覇権主義、人権侵害に対しては国際法にもとづく冷静な外交的批判が何よりも重要」であって、「軍事に軍事で対応するならば、軍拡競争の悪循環を招き、破滅的な衝突と戦争を招きかねません」と。

彼ら代々木官僚は、「中国の覇権主義」をこそ〝主敵〟とおき、この中国にたいして日本やアメリカの政府がいかに立ちむかうべきか、というように土俵を敷いている。そのうえで、日米両政府がとっている「軍事」的対応については「抑制すべき」などと主張しているのだ。そうすることによって彼ら代々木官僚どもは、中国にたいする日米両帝国主義国家の軍事同盟にもとづく軍事的対応については「絶対反対」の立場はとらないという姿勢をしめしているのである。

　これこそ、「反安保」の完全放棄であり、日米軍事同盟の免罪、帝国主義の戦争政策の是認ではないか。米日と中国との軍事的角逐が激化している今日の東アジア情勢のもとにおいて、日本の政府・支配階級がおしすすめている戦争政策のお先棒を担ぐ犯罪でなくてなんであろう！

　いうまでもなく、台湾（および南シナ海）をめぐる中国の軍事行動に反対するだけでなく、この中国にたいする日・米帝国主義（および英・豪）の威嚇的な軍事行動に反対する反戦闘争の創造こそが、台湾を焦点とした戦争勃発を阻止するただひとつの道なのだ。米日の帝国主義とネオ・スターリン主義中国との角逐下の戦争勃発の危機を突き破ることができるのは、米日と中国のそれぞれの権力者に支配され抑圧されている労働者・勤労人民の国境を超えた団結と、それにもとづく反戦闘争の創造いがいにはありえないのである。にもかかわらず、代々木官僚は、「中国の覇権主義」にたいして「日本政府」が立ちむかうべきことを主張して、中国の北京官僚とそのもとで支配される労働者・人民との対立も、日本の政府・支配階級と労働者・人民との階級対立も没却しているのだ。日中人民のプロレタリア的団結の阻害者・破壊者としての姿をあらわにしている代々木官僚を、怒りをこめて弾劾せよ！

　（3）第二に、「軍拡競争」の悪循環を避けるために「最も推進すべき道」として代々木官僚が開陳している代案は、次のようなものである――「中国に対しては、中国包囲の軍事的なブロックをつくっていくという排他的アプローチではなく、中国も包み込む形で地域的な平和秩序をつくっていく包括的なアプローチが大切である」、と。

　だがしかし、これほど寝ボケた言辞があろうか。いま米日両権力者がおしすすめているのは、日米安保条約のような法的根拠がないにもかかわらず「2プラス2」などでの合意にもとづいてイギリスやオーストラリアと日本との事実上の軍事同盟関係をつくりあげ、そうすることによって米英・米豪の同盟と日米軍事同盟とをリンクさせてゆくという策動である。それは日米安保条約を改定することなく日米軍事同盟に対中国のグローバルな役割を果たさせるというなしくずしの手法を駆使したところの、日米軍事同盟の新たな次元での強化（日米軍事同盟のグローバル同盟としての強化）にほかならない。

にもかかわらず代々木官僚は、日米軍事同盟のこの新たな強化に警鐘を鳴らすことも、したがってこれに反対する闘いをつくりだすことも完全に欠落させたうえで、ただただ日本政府が「地域的な平和秩序」を創出するための外交政策をとるならば「軍拡競争の悪循環」から脱却できるかのように主張するのだ。もちろん、この代々木官僚のいう「地域的な平和秩序」なるものは、日米軍事同盟が存在するもとでも日本が参画できるものとされているしろものである。いままさに「日米グローバル同盟」の構築というかたちで安保強化の歴史が画されようとしているときに、そして米日英豪―中の戦乱勃発の危機がかつてなく高まっているこのときに、この日共中央の対応は反戦・平和の運動を内側から破壊するものではないか！

（4）第三に、日共中央は「憲法違反の安保法制をきっぱり廃止」すべきことを訴えているが、この「安保法制廃止」ということの内実もデタラメなのだ。それは、日米同盟を「地球規模の日米軍事同盟に変質」する以前＝安保法制成立以前に戻せ、ということでしかない。すなわちこの「安保法制廃止」の方針は、日共を含む野党が政権についたら「日本有事」の際には「安保条約第五条を適用する」とか、「周辺事態法」を含む安保法制以前の法律で対処する、とかという政策的代案とセットでうちだされているのだ。「日本有事」の際には「安保条約第五条」にもとづいて「日米共同作戦」を実施することを認める、などというこの日共官僚の言辞ほど、反戦・平和運動に敵対する犯罪的なものがあろうか。まさに岸田・安倍をはじめ自民党の政治エリートどもが、〝中国・北朝鮮のミサイル攻撃の脅威〟をあおりたて、これらの「敵国」の基地を先制的にたたくことも「日本防衛」と強弁しながら、「敵基地攻撃能力」保有の必要性を口ぐちにがなりたてている。このときに、こうした国防イデオロギーの階級性を暴露するどころか、〝自衛のためなら日米両軍が出動するのは当然〟などということを反対運動指導部の側から主張するとは！　まさに岸田政権がふりおろしてくるであろう先制攻撃体制構築の攻撃に反対する闘いに、あらかじめ敗北の道を敷くものではないのか！

われわれは、「反安保」を完全放棄した日共中央を徹底的に弾劾し、その議会主義的歪曲をのりこえ、いまこそ反戦反安保・改憲阻止の闘いの大爆発をかちとるのでなければならない。

B　〈米中冷戦〉下の戦争勃発の危機を突破する反戦の闘いに起て

すべての労働者・学生諸君！　たちあらわれた岸田ネオ・ファシズム政権にたいして、われわれは、日本列島をつらぬく反戦反安保・改憲阻止の闘いの大爆発をもってこたえようではないか。

日米軍事同盟のグローバル同盟としての強化に反対せよ！

われわれは、岸田政権がアメリカ帝国主義のバイデン政権とともに日米軍事同盟のグローバル同盟としての強化につきすすむことにたいして断固反対するのでなければならない。

中国の「国際秩序への挑戦」にたいして「世界中の志を同じくするパートナーと協力することを確実にする」（四月十六日の菅義偉―バイデン会談における日米共同声明）――この日米合意にもとづいて日本権力者は、イギリスやオーストラリアの政府権力者との一片の合意でもってこれらの諸国家との実質上の軍事同盟をとりむすび、合同の軍事演習を台湾と目と鼻の先の日本近海や南シナ海でくりかえしている。

これこそは、〈米中冷戦〉へと旋回をとげた現代世界における、そしてまた米中の冷戦的激突の焦点が台湾となっているという現時点における、日米安保条約の改定なき・日米軍事同盟の対中国グローバル同盟としての強化の攻撃のあらわれにほかならない。

われわれはこの攻撃を、台湾周辺での習近平中国による対米対抗的な軍事行動もろともに、全世界の労働者・人民との連帯した力で断固粉砕するのでなければならない。米日英豪による対中国の威嚇的軍事行動反対！　日本国軍一〇万人の兵力を投じた陸自大軍事演習反対！

日米両権力者による敵基地攻撃体制の強化反対！総裁選において「敵基地攻撃能力の保有は選択肢の一つ」とほざいた岸田の政権は、「日本は同盟および地域の安全保障を一層強化するために自らの防衛力を強化することを決意した」(日米共同声明)という、前首相・菅がバイデンにたてた誓いをひきついで、日米両軍が「敵基地」を先制攻撃する体制の構築を迫るバイデンの対日要求に積極的にこたえてゆくにちがいない。

まさに日米両権力者による敵基地攻撃体制の構築とは、日米両軍が一体となって中国・北朝鮮領内に攻めこみ、ミサイル基地もろともに労働者・人民を火の海にたたきこむ戦争放火への突進にほかならないではないか！　「敵基地先制攻撃体制構築阻止」の断固たる闘いを、「日米軍事同盟の強化反対」の旗たかく創造するのでなければならない。

バイデン政権による中距離ミサイルの日本配備の策動を阻止せよ！　日本政府によるスタンドオフ・ミサイルの南西諸島配備や、F35ステルス戦闘機の増配備に反対せよ！

辺野古新基地建設を断固として阻止せよ！　＜米中冷戦＞のまっただなかで沖縄を対中国の最前線基地たらしめようとするこの一大攻撃をうちくだけ！許しがたいことに政府・防衛省は、労働者・人民の体を張った抗議をふみにじってN2護岸工事を強行した。沖縄県学連の学生たちはこの辺野古新基地建設の攻撃をうちくだくべく、戦闘的・革命的労働者と連帯して最先頭でたたかいぬいている。この闘いと連帯し、日本全土において新基地建設阻止のうねりをまきおこせ！

岸田は日本をアメリカとともに戦争をやれる軍事強国へと飛躍させるために、軍事費について「GDP比一％枠にこだわらない」と、その増額の意志をあけすけにしている。軍事費大増額反対！　イージス・アショアに代わる洋上発射型ミサイル防衛システムをはじめとする米国製兵器のさらなる大量購入に日本政府がつきすすむことを許してはならない。

われわれは、日米両権力者がおしすすめている敵基地攻撃の軍事体制構築の策動や辺野古新基地建設などが、まさに、日米軍事同盟を対中国グローバル同盟として飛躍的に強化するための現実的な諸攻撃にほかならないことを満天下に暴きだし、「日米グローバル同盟粉砕」の旗をいまこそ高くかかげるのでなければならない。

そして同時に、中国の習近平政権による台湾周辺での軍事的威嚇行動や、南シナ海の軍事拠点化という反プロレタリア的策動にたいしても、断固として反対しようではないか。

「日米安保の鎖」を断ち切らないかぎり、日本国家は軍国主義帝国アメリカに政治的・軍事的に隷属せざるをえない。われわれはいまこそ、〈すべての米軍基地撤去・安保条約破棄〉をめざしてたたかおうではないか！

われわれは、〈米中冷戦〉のもとで高まる戦乱勃発の危機を突破する革命的反戦闘争の大爆発をかちとるのでなければならない。

日米両権力者による日米軍事同盟のグローバル同盟としての強化、敵基地攻撃体制構築への突進、辺野古新基地建設の強行、憲法改悪の策動、軍事費の大幅増額……これらの攻撃を岸田政権がうちおろしてくるのは、まさに台湾が世界的な米中の激突の焦点となっているからにほかならない。

われわれはいまこそ〈米中冷戦〉下で高まる戦争勃発の危機を突き破る革命的な反戦闘争を創造するのでなければならない。「台湾の中国化」をめぐる米日英豪—中のいっさいの対抗的軍事行動に反対する反戦闘争にただちに起て！　米日英豪権力者による対中国の威嚇的軍事行動反対！

習近平中国の台湾海峡・南シナ海における反プロレタリア的な軍事行動に反対する反戦の闘いをまきおこせ！　尖閣諸島「領有」をねらった強硬策に反対せよ！

ロシア・中国にバックアップされた北朝鮮によるミサイル発射弾劾！

米—中・露の権力者どもは、世界の覇権をかけた角逐にかちぬくために、中距離ミサイルの実戦配備、極超音速兵器や小型核兵器の開発・配備に相互にしのぎをけずっている。まさにそれゆえに、台湾海峡や南シナ海においてひとたび戦火が噴くならば、それは世界大的な熱核戦争へとただちに発展しかねないのだ。米—中・露の核戦力強化競争に断固として反対せよ！　ＡＩ（人工知能）兵器や生物・化学兵器の開発競争反対！　米—中・露のインフラ破壊をねらったサイバー攻撃の応酬を許すな！

台湾を焦点として尖鋭化する〈米中冷戦〉、そのもとでさしせまる戦乱の危機を突破するために、われわれは、この日本の地においていっさいの既成平和運動をのりこえ、革命的反戦闘争を創造しなければならない。そしてこれを基礎にこのような闘いを、アメリカ、イギリス、オーストラリアなどの、また中国の、さらには南北朝鮮の労働者・人民に波及させ、いまこそ各国労働者・人民の国境を超えた団結にもとづく反戦闘争を全世界にまきおこそうではないか！

憲法改悪を阻止せよ！

われわれは、「任期中の改憲」を呼号する岸田の新政権がうちおろそうとしている、第九条の改悪と緊急事態条項の創設とを柱とする憲法大改悪の策動を断固として阻止するのでなければならない。

自民党政調会長・高市は、着任早々、自民党の選挙公約に「憲法改正」をかかげることを宣言した。

それはいうまでもなく、総選挙において改憲ファシスト勢力で国会を制圧し、ただちに改憲に突進することを身構えているネオ・ファシストどものドス黒いたくらみの表出にほかならない。すでに通常国会で国民投票法の改定を強行したことにふまえて、岸田自民党は、この秋にも、憲法審査会に自民党の「改憲四項目」を提示することを虎視眈々とねらっているのだ。事態は急切迫している。改憲条文案の国会提出を絶対に阻止せよ！　衆院選で、自民党＝改憲ファシスト勢力を学生・労働者の怒りでもって奈落に突き落とせ！　猛烈な「改憲阻止」の闘いの嵐を全国のキャンパスからまきおこせ！

岸田政権・自民党は、「敵基地攻撃能力の保有」の名において、「敵性国家」にたいしていつでも先制軍事攻撃を――アメリカと一体となって――遂行しうる国家へと日本国家を飛躍させるため、まさにそのために、「戦力不保持」「交戦権否認」をうたった憲法第九条を葬りさろうとしている。このゆえに、改憲阻止の闘いをわれわれは〈反安保〉を鮮明にしておしすすめるのでなければならない。

岸田政権・自民党が「コロナはチャンス」とうそぶきながら緊急事態条項の創設につきすすむことを断じて許すな！　これこそは、「緊急事態」を宣言し法律と同等の効力をもつ「政令」を制定し、労働者・人民の民主主義的な諸権利を剥奪して戦争に動員する絶大な権限を首相に与えるものなのだ。「緊急事態条項」の新設を憲法第九条改悪とセットでたくらむ自民党政権の策動は、現行の日本国憲法を日本型ネオ・ファシズム統治形態にふさわしい憲法へとつくりかえる攻撃という意味をもっている。そして岸田政権は、「コロナ対策」をおしだしながら、デジタル技術を駆使しての国民総監視体制の構築をもねらっている。あまつさえこの政権は、第六波の感染爆発に見舞われたときには欧米型のロックダウン(都市封鎖)を強行することをたくらんでいるにちがいないのだ。われわれは、憲法改悪や強権的=軍事的支配体制の強化のためのいっさいの攻撃をうちくだくために、「反ファシズム」の旗幟を鮮明にするのでなければならない。日本型ネオ・ファシズム支配体制強化に反対せよ!

政府・独占資本による学生・労働者への犠牲強制を許すな!

われわれは、岸田政権・独占資本による学生・労働者にたいする貧窮の強制に断固反対するのでなければならない。全学連の学生たちは、戦闘的・革命的労働者と連帯し、キャンパスから政治経済闘争のうねりをまきおこせ!

「緊急事態宣言」や「まん延防止等重点措置」の長期にわたる発令のもとで、アルバイトによって学費や生活費を捻出してきた学生たちは経営者による解雇・シフト削減などによって困窮の淵に追いこまれている。学費を支払えず学業半ばで大学を去らざるをえなくなった学生も少なくない。この困窮学生にたいして、岸田政権はなんらの支援策もとろうとはしていない。岸田政権による困窮学生の切り捨て反対! 高額学費をただちに無償化せよ!

岸田政権による労働者・人民への貧困の強制をうちくだけ! 総裁選の初期には「小泉政権以来の新自由主義からの転換」などと口にしていたのが岸田であるが、この岸田が「新しい資本主義」などと称して並べてみせたのは、新技術開発をすすめる独占資本への惜しげもない支援策である。そればかりではない。コロナ感染「第六波」の到来はまちがいないと医療関係者が警鐘を鳴らしているにもかかわらず、岸田は安倍・菅政権と同じく医療機関への支援などをネグレクトしたうえで、悪名高きＧｏＴｏキャンペーンや「成長戦略」の名を冠した独占資本救済策の実施に血眼となっている。コロナ下で需要の蒸発にあえぐ大手旅行業・運輸業をはじめとする独占ブルジョアどもの救済を第一義とし、そして困窮人民への生活補償をうちきったままにし、そうすることによって感染拡大を招き寄せるとともに労働者・人民を困窮へと突き落としてきた安倍・菅の犯罪をまたしてもくりかえそうとしているのだ。

総裁選で臆面もなく「アベノミクスを継承したサナエノミクス」なるものを吹聴した高市、「さもしい顔をしてもらえるものはもらうという人ばかりでは日本は滅びる」などと生活保護受給者を蔑視し罵倒するこのファシスト分子を党政調会長にすえたのが岸田である。岸田政権が、これまでにも増して、困窮を極める勤労人民にたいする棄民政策をとる極悪の政権であるのは明白ではないか。

冬が迫りくるなかで、独占資本家どもはさらに多くの労働者を路頭にたたきだそうとしている。そして、明日の食い扶持にも事欠く人々の頭上に、空前の食料品価格高騰がのしかかっている。労働者・人民を耐えがたい貧窮地獄にたたきこむ独占資本家と岸田政権にたいして、いまこそ怒りの鉄槌を下そうではないか！

米日—欧—中露の「脱炭素化」をめぐる新たな争闘戦に反対せよ！

世界各地においていま、米欧日帝国主義諸国や「市場社会主義国」中国などが排出してきた膨大な温室効果ガスの蓄積と森林破壊によって、大気・海洋の急激な温度上昇がもたらされ大災害が頻発している。北米や地中海沿岸でのすさまじい熱波（二〇二〇年八月にはアメリカのデス・ヴァリーで五四・四度を記録）、極地の高温化、豪雨・洪水の頻発、台風の巨大化……。ＩＰＣＣ（気候変動にかんする政府間パネル）の専門家でさえ、ようやくにして温暖化の原因が人間活動にあるのは「疑う余地がない」と断定するにいたった（八月九日）。こうした科学者たちの予測をはるかにこえて急速にすすむ地球温暖化による気候大変動に世界各地が見舞われることによって、数多の人民が被災によって命を奪われ、住居を奪われているのだ。まさに人類は破滅の危機に瀕しているかにみえる。

こうしたなかで十月三十一日〜十一月十二日に開催されようとしているCOP26会議（イギリス・グラスゴー）にむけていま、米・日―EU―中・露の権力者どもは「温暖化防止」の名を冠した諸施策をめぐって角逐を激化させている。「パリ協定復帰」を宣言し温暖化対策の旗手ででもあるかのように振舞いはじめたバイデンのアメリカおよび、これと「気候パートナーシップ」を結ぶ日本。「炭素国境調整税」という名の新たな〝貿易障壁〟をはりめぐらせ新たな「環境ビジネス」創出の主導権を握ろうと躍起となる仏・独のEU。そして温暖化についての「先進国の責任」をやり玉に挙げつつ電気自動車などの市場争奪戦にうちかつためにレアアース輸出制限に踏みきろうとしている習近平中国。これらの権力者どもが、「温室効果ガスの削減」や「脱炭素化」の技術開発・普及の主導権をめぐって、国家エゴイズムをむきだしにした角逐をくりひろげている。そして帝国主義諸国の独占資本家どもや中国の諸企業の共産党員でもある経営者どもは、脱炭素化＝再生可能エネルギーの開発・活用による事業構造の転換に――労働者の大量解雇を強行しつつ――血道をあげているのだ。だがそれは新たないっそうの環境破壊をもたらすものにほかならない。

帝国主義各国権力者と独占資本家どもによる「脱炭素化」の名での産業構造転換への突進は、まさにパンデミックのもとであらわになった現代資本主義の危機のりきり策にほかならない。そして「生態文明建設」をかかげる「市場社会主義国」中国もまた、深刻化する経済危機ののりきりをかけて、新たな産業の育成とすさまじい乱開発とをおしすすめている。さらにプーチンのロシアは、スターリニスト官僚専制国家時代の「大自然改造」の名による粗放きわまりない環境・生態系破壊という負の遺産のうえに、北極圏の氷が溶けつつあることに欣喜雀躍し、そこに眠る石油・天然ガスおよびレアアースの独占につさすすんでいるのだ。

われわれは新たな地球環境破壊をもたらす米・日と欧と中・露の「脱炭素化」をめぐるむごたらしい新たな争闘戦を弾劾するとともに、環境的自然の乱開発による破壊をおしすすめている帝国主義諸国およびネオ・スターリン主義中国の犯罪を暴きだし弾劾する闘いを創造するのでなければならない。

「グリーン」「カーボン・ニュートラル」の名において環境破壊をいっそう促進している各国政府および独占資本・国有企業の策動をうちくだく闘いをも創造しよう！　政府・独占資本による「脱炭素」を名分とした新たな利殖ビジネスの創出反対！　労働者の大量解雇反対！「カーボン・ニュートラル」の名による原発再稼働・新増設や小型原子炉、核燃料サイクル開発を許すな！

現時点における各国権力者による「温暖化対策」をめぐる角逐は、「技術覇権」をめぐる経済争闘戦やレアアースの囲い込み合戦＝資源争奪戦とも結びついている。またそれは「経済安全保障」をからめての米・日・英（および仏・独）と中国・ロシアの政治的・軍事的角逐とも結びついている。これらのことを満天下に暴きだしつつわれわれは、全世界のたたかう人民と連帯して、米・日―EU―中・露による「脱炭素化」をめぐる新たな争闘戦に反対するのでなければならない。こうしたことをめぐるイデオロギー闘争を、自治会運動やサークル活動の場面においてくりひろげてゆくこともまた、われわれの任務なのである。

岸田日本型ネオ・ファシズム政権を打倒せよ！

すべての全学連の学生諸君！　いまこそ、岸田新政権の反動攻撃を粉砕するためにただちに起て！「日米グローバル同盟反対」「敵基地先制攻撃体制構築反対」の反戦反安保闘争、憲法改悪阻止闘争、さらに「政府・独占資本による学生・労働者への犠牲強制反対」の政治経済闘争の爆発をかちとれ！職場深部でたたかう戦闘的・革命的労働者と連帯し、岸田日本型ネオ・ファシズム政権打倒をめざしてたたかおう！

（二〇二一年十月四日）

デジタル庁創設をテコとするNSC専制体制の強化

吉祥寺剛

台湾・東アジアをめぐる米・中対立の激化のただなかで、いま日本帝国主義権力者は、日米安保同盟を対中国のグローバル攻守同盟として強化する策動に狂奔している。現に、日本国軍＝自衛隊は、米・英・豪・仏軍などとともに――「台湾の武力統一」も辞さない構えで軍事演習をくりかえす中国に対抗して――、西太平洋・東シナ海などで対中国戦争に備えての大規模な軍事演習を連続的にくりひろげている。

日本帝国主義権力者は、このように対中国の臨戦態勢をつくりだしつつ、内にむかってはそれにふさわしい国内支配体制を構築・強化することに躍起となっている。首相・菅義偉の政権放りだしによって、自民党政治エリートどもが総裁選をかちぬくための抗争をくりひろげているさなかに、日本政府は、二〇二一年九月一日にデジタル庁(註1)を発足させた。権力者どもは、昨春のコロナ・パンデミックへの対応の破綻を「日本のデジタル化の遅れ」のためであると強弁し、創設したデジタル庁をテコにしてこの「遅れ」を打開するための諸施策を貫徹しようとしている。彼らは、いまのまま日本が「デジタル化」をめぐる国際的競争にたち遅れるならば、「アジアの先進国」としての地位を失うことになりかねないという危機感に駆られている。この〝国家存亡〟の危機をなんとしても突破するために、「行政のデジタル化」と「経済・社会のデジタル化」に突き進んでいるのである。

政府・権力者が追求しているのは、中央政府・諸省庁および地方自治体などの行政諸機構が保有している情報システムのデジタル的な再編統合であり国家による一元化である。アメリカにつき従って対中戦争を遂行する日本型ネオ・ファシズム国家にふさわしい国民総監視・総管理体制をつくりあげるために、マイナンバーカードとスマートフォンの一体化をつうじて〝デジタル版国民総背番号制〟というべきものを構築し、それを日本全土に張りめぐらせた監視カメラ網・GPS（位置情報システム）とリンクすることを画策しているのが、政府・権力者である。

また、彼らは、日本の産業・企業の再生のための新事業創出やデジタル・イノベーションを促すためにも、公的な情報をビッグデータとして「民間」＝諸企業に活用させることをたくらんでいる。

米・中の冷戦的対立の激烈化のもとで、日本帝国主義の生き残りを賭けて、日本型ネオ・ファシズム支配体制の飛躍的強化と産業・企業の「競争力」復活のための「行政と経済のデジタル化」に、彼ら権力者どもはいま血道をあげているのだ。

NSC直轄による行政情報システムの再編＝一元化

昨春のコロナ・パンデミックへの対応において、政府・自治体によるデジタル技術を活用したコロナ対策は、軒並み破綻をさらけだした。全国民に一律一〇万円を配布する特別定額給付金では、マイナンバーカードを使うオンライン申請の受付で混乱し、一ヵ月で四十以上の自治体が受付をとりやめた。感染者の近くにいた人に「濃厚接触の可能性」を自動で通知すると称して導入された「COCOA」（接触確認アプリ）も、感染者情報を統合的に管理する新システム「ＨＥＲ－ＳＹＳ（ハーシス）」も、そして雇用調整助成金のオンライン申請システムも、すべて「不具合」を引き起こし、まともに機能しなかった（もっとも、雇用調整助成金の給付の遅滞はオンライン・システム以前の問題である）。

鳴り物入りで導入したこれらの新たなデジタル・システムの惨状を突きつけられて仰天し、「デジタル敗戦だ」（デジタル相・平井卓也）と危機意識を嵩じさせたのが、日本帝国主義権力者であり独占資本家どもであった。この曝けだされた日本の「デジタル化の遅れ」を早急に打開し、「危機に迅速に対応しうる強靭なデジタル・ガバメント」なるものを構築するために躍起になっているのが、権力者どもなのだ。韓国・台湾そしてネオ・スターリン主義中国が、デジタル技術（スマホとＧＰＳ）を駆使した、それぞれの国民監視＝管理システムをフルに活用して、強権的な「コロナ対策」を実行してきたことを横目に見て、それに垂涎しながらである。

デジタル相に就任した平井は言う。「デジタル時代のインフラを今後五年、一気呵成につくりあげる」、と。首相＝ＮＳＣ（国家安全保障会議）のもとで、「関係行政機関の長」（省庁と地方自治体の長）にたいする「勧告」という名の指令権限をあたえられたデジタル庁（大臣）が、ＩＴ化関連予算約八〇〇〇億円の配分権をも圧力手段として、国と地方の行政諸機構を上から強権的に再編するという腹の内を、この男は傲然と披瀝しているのだ。

自民党政権がたくらんでいることは、第一に、それぞれの行政機関の業務に対応してつくられてある各省庁や地方自治体の諸情報システムを、「有事」・「緊急事態」に迅速に対応しうるようなそれに、すなわち国家のもとに一元化したデジタル情報システムへと抜本的につくりかえていくことである。そしてそのために、「縦割りのシステムに横串を通す」と称して、情報＝データの「標準化・統一化」を実現することである。

各行政機関で導入している情報システムが異なり、データの形式も管理の方法も相違しているという現状をくつがえすために、デジタル庁（大臣）の権限をもって行政データの形式を標準化し、各情報システムを統一データベースや統一クラウドに結びつけさせて、各省庁・自治体を横断した情報の統一化をはかる、ということである（ちなみにこの中央省庁向けの政府共通クラウド・システムの開発・運用を、政府は米アマゾンの子会社に委託した）。このばあいに、この統合作業の直接の遂行者はデジタル相であるが、デジタル庁の「長」としてこれを統轄するのは首相である。そして、諸システムを統合し諸情報を一元的に掌握・管理する主体は首相であり、首相をトップとするNSCにほかならない。

要するに、各省庁や地方自治体の情報システムに分散して記録され保存されている人民の戸籍・就学・就労・納税・年金・健康状態などにかんする情報を、首相＝NSCのもとに一元的に管理・監視するシステムをつくりだすことを狙っているのが、政府・権力者なのだ。「有事」に際して、またパンデミックや東日本大震災のような大災害に際して、政府がすべての「国民」にかんする詳細な情報を居住地・勤務地の自治体区分を超えて即時にとりだせるようなシステムをつくりだすことを、彼らはもくろんでいるのである。

マイナンバーカードとスマホの〝合体〟による管理強化

政府・権力者は、右のような諸行政機関が保有する基礎データの統合＝一元化を基礎としつつ、全国民の日々刻々の行動にかんする情報を、最先端デジタル技術を活用して動態的に監視し掌握するシステムを構築することをもたくらんでいる。これが、「行政のデジタル化」の第二の狙いである。

そのために政府・デジタル庁はまず、①マイナンバーカードの全国民への常時携行を実質的に義務化することを策している。マイナンバーカードの現在の普及率は、コロナ・パンデミック発生以前の二〇%台から三六%に増えたにすぎない(二一年八月一日現在)。このマイナンバーカードの取得を促進するために、菅政権は、「利便性の向上」と称してこのカードに健康保険証の機能を一体化させようとしてきた。（三月末実施の予定が「システム障害」で十月に延期されている。自民党は、将来、紙の健康保険証を廃止することを提言している。）さらに運転免許証との一体化(二四年実施予定)をうちだしている。将来的には、お薬手帳や診察券・学生証・社員証・ジョブカード・障害者手帳なども一体化することを策しているのだ。マイナンバーカードに日常生活に必要なさまざまな機能を一体化させ、このカードなしには生活に不便をきたすような状態をつくりあげることによって、カード取得を強制しようとしているのである。

マイナンバーカードをこれまで発行してきたのは「地方公共団体情報システム機構(Ｊ－ＬＩＳ)」であるが、政府はカードの普及を加速するために、このＪ－ＬＩＳをたんなる「地方共同法人」から「国と地方公共団体が共同管理する法人」へと切り替えた(九月一日)。このことは、労働者・人民(国民)にかんする住所・生年月日・勤務先などの情報(既存のもの)と一人ひとりの日々刻々の行動にかんする情報（動的なもの）をリンクするちょうつがいのような役割を果たすマイナンバーカードの管理・統括を実質上、地方自治体から国家（NSC）の手に移したことを意味する。

②しかもさらに、「すべての行政手続をスマホで六十秒以内にできるようにする」と謳いながら、マイナンバーカードの機能をスマートフォンに搭載しようとしている（註2）。

現在、すでにスマホにはJRの「Suica」の機能が組みこまれていたり、キャッシュレス決済の機能（「〇〇ペイ」の類）が組みこまれていたりする。このように次々に機能を膨らませてきたスマホに、先の健康保険証・運転免許証・学生証・社員証等々と一体化したマイナンバーカードの機能を結びつけるならば〝より便利になる〟と、彼らはおしだしているのだ。だが、それはスマホのなかにそれを所持している人の行動・買物・病歴などの情報がすべて集約されることを意味する。しかも、スマホにはGPSの機能も搭載されている。まさにスマホにマイナンバーカードを「搭載」することは、「行政手続の便利さ」なるものを餌にして、それをもつ人民の〝人定事項〟と生活・行動記録を一体化した情報を国家権力がリアルタイムに掌握するためなのだ。

このように、政府・デジタル庁が「行政のデジタル化」と称してやろうとしていることは、行政機関の情報システムを「標準化・統一化」と称して結びつけ、バラバラに管理されてきた個人情報を国家のもとに一元化することであり、さらにそれを基礎としてマイナンバーカードをスマホに搭載して、スマホを政府が「国民」のあらゆる情報を掌握する最も有効な〝道具〟として活用していくということなのだ。「誰一人取り残さない人に優しいデジタル化」をめざすというデジタル庁が掲げたキャッチフレーズは、マイナンバーカードを全国民に取得させ、政府・NSCと警察権力が全国民を〝誰一人取り残さず〟動態的に監視し管理するシステムをつくりだすという悪辣な画策をおし隠すものなのだ。

AIと監視カメラ網を駆使した人民監視

政府・権力者は、さらにこのデジタル情報システムの統一化によって収集する情報と、全国に張りめぐらせた監視カメラ網で収集する人物データを照合・解析し活用することをも狙っている。

いま警察権力は、精密度を増した顔認証技術や歩容認証技術を搭載した監視カメラ・システムを使って、空港・新幹線・電車などを監視し、あらかじめ登録した「危険人物」を摘発している。その他、タクシー・商店街・書店・百貨店・コンビニ・ファミレス・街頭などなど、日本中で、出荷台数からの推計で五〇〇万台以上の監視カメラが設置されている。〔こんにち警察権力は「事件」が起きるたびに、容疑者（監視カメラで摘発される）がどの交通機関を使って、どこへ移動し、誰と会話したかを掌握している。〕

それだけではない、監視カメラをAI（人工知能）と結びつけることによって、特定の人間の監視にとどまらず、不特定多数の人間の中から「犯罪を犯す可能性をもつ不審者」なるものをあぶりだし発見するシステムまでもが開発され運用されはじめているのだ（註3）。警察権力は、すでにブラックリストに登録している者の行動を監視するだけでなく、あらゆる人民の動態画像を片っ端から取得し、そのなかから「犯罪（テロ）を犯す可能性のある不審行動をとる人物」をＡＩの自動解析によって抽出し掌握することを狙っている。こうして、諸行政機関のデジタル情報システムを共通化＝統合することによってＮＳＣが掌握する全住民の個人情報は、警察権力が要となって運用する監視カメラ網からのデータとあわせて活用されるのだ。

米中冷戦の激化のもとで、アメリカのバイデン政権につき従いながら中国との戦争を遂行する態勢を急速につくりだしつつある日本帝国主義国家。――それにふさわしい国民総監視・総管理システムをＡＩなどのデジタル技術を駆使してつくりあげ、人民の全行動を掌握することをたくらんでいるのが、政府・権力者なのだ。

ところで、「サイバー・セキュリティの弱さ」を諸外国から指摘され中国・ロシアからのサイバー攻撃の恰好の〝餌食〟となっている日本にとっては、分散されていた情報を中央政府のもとに一元的に統合することは、サイバー攻撃をうけた場合の被害が甚大となるという「リスク」を孕むことになる。それゆえに、「行政のデジタル化を進めるためにはサイバー・セキュリティの強化が絶対に必要である」と政府・権力者は考えている。デジタル社会形成基本法においても、「サイバー・セキュリティの強化」が強調されているゆえんである。

独占資本のための「経済・社会のデジタル化」の促進

政府・権力者は、「行政のデジタル化」を推進するとともに、日本経済の「再生」をはかるための「経済・社会のデジタル化」をも促進しようとしている。デジタル庁は、民間の諸企業にたいしてそれを支援し促す諸施策を執る、とされている。

平井は言う。「大きなビジネスチャンスが生まれると同時に、日本企業のＤＸ〔デジタル・トランスフォーメーション〕も一気に加速する」、と。経団連会長・十倉雅和は、デジタル庁発足にあたって「世界に周回遅れとなったわが国デジタル化の停滞を一気呵成に挽回する号砲となることを期待する」と述べた。

独占資本家どもの要望に応えて、デジタル庁は、教育や医療などの「準公共分野」のデジタル化を促進し、そこから得られる個人情報を、ビッグデータとして「民間」＝諸企業の利殖のために開放し「利活用」させる、そのための「ルールづくり」なるものにのりだしている。「多様な主体による情報の円滑な流通の確保」（デジタル社会形成基本法二十二条）とかを掲げて。その場合、「個人情報の目的外利用の禁止」規制を取り払えという資本家どもの要求に応えて、「データの活用」にかんする「規制の見直し」＝緩和をおこなおうとしているのだ（同前二十六条）。こうして、「データの利活用」の一挙的拡大によって、「新しい産業」の創出や企業の生産性向上や新たなイノベーションを促し、もって日本資本主義の危機脱出の起爆剤にすることをたくらんでいるのが、政府・権力者なのだ。〔政府クラウドや地方自治体版クラウドの作成は、それに携わるICT企業（独占体）に莫大な利権を提供する。〕

また、政府・デジタル庁は、マイナンバーカードやそのスマホとの一体化をも手段としてもろもろのデジタル・サービス商品の開発を促そうとしている。さらに、諸企業の「生産性向上」「競争力強化」のためにデジタル・システムおよび機器の導入を促す諸施策を執ろうとしている。

いうまでもなく、生産過程・業務過程・流通機構などへのデジタル技術諸形態の導入は、「より大きな剰余価値の獲得」という資本家的目的の実現のためにおこなわれるのであって、それは労働者にとっては搾取の強化にほかならない。資本家どもは、労働過程へのＡＩやロボットなどのデジタル機器の導入をテコとして「生産性向上」を労働者に強制すると同時に、それによって「余剰になった」とみなした労働者たちを次々に路頭に放りだす。その結果は、大量失業と労働者・人民のさらなる貧窮化であり、電脳的＝デジタル的疎外の一層の深刻化である。

日本帝国主義権力者が、「行政のデジタル化」とともにその促進を呼号している「経済・社会のデジタル化」とは、このようなものにほかならない。

われわれは、米・中対立の激化に促迫された日本帝国主義権力者による行政諸機関のデジタル情報システムの再編統合＝一元化の攻撃、それをつうじての首相＝NSC直轄の全人民のデジタル監視・管理システムの構築の策動を絶対に許してはならない。「行政のデジタル化」をテコとする日本型ネオ・ファシズム支配体制の強権的強化をうち砕け！

註1　デジタル庁の「長」を首相（菅）とし、この統括下で「デジタル庁の事務を統括する」デジタル相に平井卓也デジタル改革担当相を任命。六〇〇人体制（うち民間のデジタル関連産業から二〇〇人を「出向」「兼業」などのかたちで登用）で発足。

註2　スマホで行政手続をおこなうためには、①にあげた諸行政機関の情報システムの「標準化・統一化」が不可欠である。地方自治体間では、すでに地方自治体十七業務にかんして二〇二五年末までに標準システムを導入することになっている。十七業務とは、住民基本台帳、選挙人名簿管理、固定資産税、個人住民税、法人住民税、軽自動車税、国民健康保険、国民年金、障害者福祉、後期高齢者医療、介護保険、児童手当、生活保護、健康管理、就学、児童扶養手当、子ども・子育て支援、をさす。

註3　NECの「時空間データ横断プロファイリング」なるシステムは、AIの「ディープラーニング」（深層学習）を使って、長時間うろついたりする頻出人物を高速に割りだし、行動パターンの定量化・自動分類によって「不審人物」を高精度で絞りこめる、とされる。また富士通は、「不審者検知ソリューション」というシステムをNTTドコモに提供した。人がストレスや恐怖を感じた時に発する振動現象（特有振動パターン）をもとに、人の行動・動作を映像から分析数値化して不審者を検知する、という。NTTドコモは、二〇二一年一月二十日からこのソリューションの提供を開始。

（二〇二一年九月二十日）

〔本誌掲載の関連論文〕

・改定盗聴法の施行を弾劾せよ！　団　大蔵（第三〇二号）
・マイナンバーカード普及に狂奔する安倍政権　無署名（同）
・行政諸機構のネオ・ファシズム的大再編　荒崎　文男（第二九二号）
・共謀罪法撤廃！　安倍政権を打倒せよ　無署名（第二九〇号）

日本政府の「データ安全保障」政策

米・中間の冷戦的対立が政治的・軍事的のそれにとどまらず、経済的・技術的・サイバー的などのあらゆる分野において激烈化しているいま、日本政府・権力者は、日米軍事同盟の飛躍的強化を基礎にしながら、同時に「経済安全保障の確立」を前面におしだしている（本誌第三一五号「日本帝国主義の『経済安全保障戦略』」論文参照）。そのばあいに政府・権力者が強調しているのが、「先端半導体技術の開発・製造立地推進」とともに「次世代データセンターの最適配置の推進」である（本二〇二一年六月に閣議決定された「成長戦略実行計画」）。

「データセンターの最適配置」（註1）とは何か？

「成長戦略実行計画」では、①「セキュリティの観点から重要なデータを他国のデータセンターに依存することは望ましくない」こと、②「立地場所は〔それが遠隔地であれば〕データの伝送遅延に大きな影響を及ぼす」こと、③「災害に対する強靭性の観点からは、国内における分散立地が必要となる」こと、などが列挙されている。もちろん彼ら権力者が、「経済安保の観点」から最も「危険」とみなし、早急に対処すべきだと考えているのが、データセンターの国外立地の問題（①）であることはいうまでもない。

ＬＩＮＥ問題の意味するもの

今年の三月に、国内で八〇〇〇万人以上の利用者を抱え、政府機関や地方自治体さえもが業務やコミュニケーションの日常的手段として使っている無料アプリのＬＩＮＥ、その利用者のデータが委託先の中国子会社から閲覧可能になっているという事態が暴露された。しかも、日本のユーザーにかんする個人データは韓国にあるサーバーに保存されていた。これではＬＩＮＥを使った政府機関や大企業の連絡・会話の内容が中国や韓国の政府につつぬけになってしまう、と仰天したのが、菅政権であった。

こんにちでは、政府・自治体や企業が、そしてほとんどの市民が、パソコンやスマートフォンなどの端末機器を利用しインターネットを介して日々コミュニケーションをおこない活動している。この利用者たちがインターネットを使ったすべての記録は、ネット・サービス事業者（キャリア、プロバイダ、プラットフォーム、クラウドなどの事業者）の管理するデータセンターにビッグデータとして集約され蓄積される。右の場合には、ＬＩＮＥが集積した利用者データの一部が韓国にあるデータセンターに保存されていただけでなく、中国からも随時アクセスできる状態にされていた、ということである。

もともとＬＩＮＥは韓国最大のネット企業ネイバーの日本法人であったから韓国のデータセンターを活用してきた。それにもかかわらず、ＬＩＮＥは、日本国民のデータは国内のデータセンターで管理しているかのようにウソをついてきた。この事態が、朝日新聞などによって暴露されていらい、政府・総務省は、あわててＬＩＮＥ経営者を「行政指導」し、「規制強化」をうちだした。

だが、このような事態は、ほんの氷山の一角にすぎない。日本のＩＣＴ（情報通信技術）企業や金融企業の少なからぬ部分（たとえばＫＤＤＩ）は、国内利用者の顧客データを香港や中国やシンガポールにあるデータセンターに置いてきた。ネット社会の必須インフラであるデータセンターは、膨大な電力を消費するとともに凄まじい発熱量となる。それゆえに電力代や冷却代などの「運用コスト」を低く抑えるために、多くの日本企業が、それを海外に設置してきたのであって、そのようなことは関係官庁や業界では周知のことなのである。

ところが、米トランプ政権が5G(次世代移動体通信システム)や半導体などの高度技術の分野において対中国のデカップリング政策へと転じた(二〇一八年)。トランプを倒して登場したバイデン新政権もまた、このデカップリング政策を引き継いだうえで、日本政府にそれへの協調を強制している。しかも米中間の軍事的・政治的対立が台湾などを焦点としてかつてなく激烈化するなかで、「データセンターの国外立地」問題をも、「日本の経済安全保障」にかかわる〝由々しき事態〟とみなして騒ぎはじめたのが、政府・自民党の政治エリートたちなのである。

日本国内で営業する民間のプラットフォーム事業者やプロバイダ、クラウド事業者、ネット通販事業者(たとえば楽天)などが保有する日本の行政機関や企業や個人ユーザーのデータの多くを国外に立地するデータセンターに置くこと、とりわけ中国や韓国などの〝敵対国〟のそれに置くことは、情報戦争・サイバー戦争において〝国家の命取り〟になりかねない。——このように彼らは、いまさらながらに戦慄し、「データ安全保障」を叫びだしたのである。

政府クラウドはアマゾンに丸投げ

だがそもそも、すでに日本の政府・自治体・企業・個人は、デジタルプラットフォーム・サービスやクラウド・サービスなどの多くを、GAFAM(グーグル、アップル、フェイスブック、アマゾン、マイクロソフト)をはじめとする米系海外事業者に依存し、膨大なビッグデータをこれらの企業に〝無償〟で提供しつづけている。

いま現在、日本の政府は、菅政権の看板政策たる「行政のデジタル化」の要をなすものとして、デジタル情報を各府省庁を串刺しにして利用する政府の共通プラットフォーム・システム(今年十月稼働開始)を構築しはじめたのであるが、その設計・運用については、アマゾン・ウェブ・サービス(AWS)と契約した。つまり米系企業に丸投げしたのである。

要するに、中国や韓国の企業は排除しても、米系企業には、「日本国内のデータセンターでのみ運用する」旨を約束しさえすれば自由に契約するということを、日本政府みずからが〝率先垂範〟しているのである。——しかも、二〇二〇年に発効した「日米デジタル貿易協定」においては、日本政府は、契約したアメリカ企業にたいしてデータセンターの国内設置を要求してはならないし、データの国境を越える移転を制限してはならない、と明記されているのであって、このような「約束」はほとんど無意味にひとしいのである。

たとえアマゾンなどの米系企業のデータセンターが日本国内に設置されているばあいでも、これらのデータはその企業の〝占有物〟であることに変わりはない。米政府・NSA(国家安全保障局)は、あらゆるルートを使っていつでもそれにアクセス可能なのである。〔ちなみにアマゾンの取締役には、元NSA幹部が就いている。今夏にAWSは、NSAと一兆円規模のクラウド契約を結んだ。〕

すでに日本の行政機関や企業は、「スノーデン暴露」(註2)などで白日のもとに晒されたようにアメリカNSAのPRISMシステム(エシュロンの今日版)で〝取り放題〟に情報を盗みとられている。日米安保の鎖でがんじがらめにされた〝属国〟日本の権力者どもは、長年にわたって軍事上・安全保障上・国内治安上の「機微情報」を、巨額の資金供与と引き替えにNSAや米軍からもらいうける構造をつくりだしてきた。それとのバーターで日本国内の様ざまな情報・データを取られるがままにさしだしてきたのだ。そのような〝対米情報従属〟の構造を前提として、彼らはこんにち、データセンターの国内立地やクラウド事業者の国内誘致および国内クラウド事業者の育成などを唱えているにすぎないのである。

こうした日本政府のデータセンター政策の意味するものは、要するに〝政府機関や戦略物資を扱う企業は、(相手が日系企業であっても)中国などの敵性国家にデータセンターを置いている事業者と契約するな〟ということにつきるのだ。それは、逃れることのできない〝対米情報従属〟の土俵の上でアメリカの力を借り、日本の情報をアメリカ（企業および政府・情報機関）に売り渡すことと引き替えに、中国によるビッグデータ・機密情報の盗み取りにたいする防波堤を築く、といった底のものでしかない。そのことは、情報・データにおけるアメリカへの依存と従属を、よりいっそう深めるものにほかならないのである。

註1　データセンターとは、政府・自治体・企業・個人にたいして諸々のデジタルネットワーク・サービスを提供しているインターネット事業者（プラットフォーム、プロバイダ、クラウド、ネット商取引、暗号資産などのそれ）が、このサービスを提供するコンピュータ＝サーバーとそれに必要なデータを集中的に運用・管理するための施設である。大量の高性能コンピュータが設置され稼働するために膨大な電力を消費し、発熱量も凄まじい。グーグルやアマゾンやＬＩＮＥなどの巨大ネット企業は自前のデータセンターをいくつも保有している。そうではない事業者は、データセンター専門事業者と委託契約を結んでその施設を利用しており、このようなデータセンター専門事業者はそれじたいとして一つの業界を形成している。

註2　二〇一三年に、元ＮＳＡの工作員であったエドワード・スノーデンが、アメリカＮＳＡが全世界でおこなってきた通信・インターネットの傍受などの工作の一端を暴露した。それによれば、ＮＳＡは、「ファイブアイズ」（米・英・加・豪・ニュージーランドのアングロサクソン五ヵ国による諜報同盟）を拠点にして「ＰＲＩＳＭ」と呼ばれるデジタル諜報システムを世界中に張りめぐらし、それにもとづいて各国（同盟国を含む）の政府・軍隊・企業だけでなくすべての人民の音声会話・チャット・メールなどを片っ端から無差別に収集したうえで自動解析をおこなっている。日本にも、ＮＳＡの情報収集拠点が三ヵ所以上敷設され、国内のあらゆる通信を傍受していた、という。

（二〇二一年九月二十日）

深　水　新　平

――特集――

「救国」産報運動を突き破れ

ネオ・ファシズム政権に抱きつく「連合」労働貴族を弾劾せよ

すべてのたたかう労働者諸君！　日本労働者階級はいま、決定的な岐路に立たされている。

＜米中冷戦＞下で激化する国際競争で生き残るために労働者に犠牲を強いる独占資本家ども、彼らにつき従う「連合」労働貴族が自民党政府に抱きつき一体化する道を歩みはじめたのだ。

アメリカを凌駕する「社会主義現代化強国」にのしあがるために突進する習近平の中国と・この中国に「世界の覇者」の座を奪われかねないという危機感を募らせて対抗しているバイデンのアメリカ――この両国はいま現在、台湾を焦点として相互に軍事的威嚇行動をくりひろげている。まさにそれゆえに東アジア・西太平洋において戦争勃発の危機がいや増しに高まっているのだ。この米・中激突の狭間において、日本の岸田政権は、「台湾有事」に備えて、バイデン政権とともに、日米軍事同盟を対中国のグローバル同盟として飛躍的に強化することに突進している。

この米・中が熾烈な国際競争をくりひろげている「デジタル化・脱炭素化」をめぐって決定的にたち

全国各地・各戦線での闘いをビビッドに報道／政府の政策や反動イデオロギーのまやかしを徹底批判／理論＝思想創造の熱い息吹き――学習や研究論文も充実／内外の時事問題を解きほぐす分析・論評記事を満載！

『解放』販売書店一覧

●北海道

MARUZEN＆ジュンク堂書店札幌店	中央区南１西１
東京堂書店	札幌市北区北24西５
TSUTAYA木野店	音更町木野大通西12

●東京都

書泉グランデ	神田神保町
ジュンク堂書店池袋本店	南池袋
紀伊國屋書店新宿本店	新宿駅東口
模索舎	新宿２丁目
芳林堂書店高田馬場店	高田馬場駅前
オリオン書房ルミネ立川店	ルミネ立川８階

●神奈川県

有隣堂本店	横浜伊勢佐木町
有隣堂横浜駅西口店	ジョイナスB1階
有隣堂アトレ川崎店	アトレ川崎４階

●群馬県

煥乎堂本店	前橋市本町

●茨城県

やまな書店	水戸市大工町

●北陸地方

金沢大学生協	金沢市角間
うつのみや金沢香林坊店	香林坊東急スクエア
うつのみや金沢百番街店	金沢駅Rinto

●東海地方

MARUZEN＆ジュンク堂書店新静岡店	新静岡セノバ５階
ジュンク堂書店名古屋店	名駅３丁目
MARUZEN名古屋本店	栄丸善ビル３階
ウニタ書店	名古屋市今池
三洋堂書店いりなか店	名古屋市いりなか
愛知大学生協	豊橋市

●関西地方

丸善京都本店	京都BAL地下１階
ジュンク堂書店大阪本店	堂島アバンザ３階
大阪経済大学生協	東淀川区
関西大学生協	吹田市

●九州地方

福岡金文堂本店	福岡市新天町
金修堂書店本店	福岡市草香江
宗文堂	門司区栄町
ジュンク堂書店鹿児島店	鹿児島市呉服町

●沖縄県

ジュンク堂書店那覇店	那覇市牧志
ブックスじのん	宜野湾市真栄原
朝野書房沖国大店	宜野湾市宜野湾
宮脇書店宜野湾店	宜野湾市上原
宮脇書店美里店	沖縄市美原
宮脇書店名護店	名護市宮里

(2024. 10 現在)

◎『解放』掲載の主要な論文や記事の一部をホームページで紹介しています。
革マル派公式サイト　http://www.jrcl.org/　E-mail jrcl@jrcl.org
◎ 解放社の出版物はＫＫ書房でも扱っています。
TEL03-5292-1210　http://www.kk-shobo.co.jp/　E-mail info@kk-shobo.co.jp

遅れていることや、コロナ・パンデミックと米政府のいわゆるデカップリング（分断）政策によって重要物資のサプライチェーンがズタズタにされていることに、日本の独占ブルジョアどもは悲鳴をあげている。この彼らの要求に応えて岸田政権は、半導体や5G（第五世代移動体通信システム）などの高度先端技術製品の研究開発と中国を排除したサプライチェーンの構築に官民一体でとりくみ、「経済・行政のデジタル化」や「脱炭素化」を一気に加速するための国家プロジェクトに巨額の国家資金を投じようとしているのだ。それとともに、「デジタル化・脱炭素化」をすすめる企業による労働者の解雇＝転職を促すために労働法制の改悪や再就職支援制度の拡充をもくろんでいるのが、岸田政権だ。

この政権は、コロナ感染者数の減少に乗じて、経営不振に直面している旅行・交通などの大企業にたいする支援策（「ＧｏＴｏキャンペーン」の再開など）を最優先ですすめようとしてもいる。自民党政権の貧窮人民切り捨ての「コロナ対策」と社会経済政策によって生活困窮者が日に日に増えつづけているそのただなかにおいて。彼らは、感染第六波に備えての医療体制強化や困窮する労働者への経済的支援をことごとく放棄している。首相・岸田文雄は、労働者を欺すために「格差是正」の目玉商品としておしだしてきた「金融所得課税の強化」も早々に撤回し、「まずは成長だ」と傲然と叫んでいるのだ。

このように岸田自民党政権によって多くの労働者が塗炭の苦しみを強いられている今日この時に、このネオ・ファシスト政権への恭順と協力への道を突き進みはじめたのが、「連合」の芳野新指導部だ。岸田が呼びかけた「新しい資本主義実現会議」という名の首相直轄の〝戦略会議〟。――これへの参加を彼らが喜び勇んで受諾したことが、その結節点をなす。「連合」指導部は、「日本の抱える構造的課題」をめぐる政労使の対話のチャンスをつかんだと欣喜雀躍して、岸田自民党政権の呼びかけにとびついたのだ。いまやJC労働貴族を先頭とする「連合」の右派労働貴族は、政府・自民党との「協力」関係の構築にわれ先にのりだしている。彼らは、ネオ産業報国会の〝司令部〟としての本性をむきだしにして、「国難突破」のために岸田日本型ネオ・ファシズム政権を公然と支える道を選びとったのである。

すべてのたたかう労働者諸君！　いまやなりふりかまわず政府・自民党に抱きついて「救国」産報運動をすすめようとしている「連合」労働貴族を断じて許すな！　ネオ・ファシスト政権と一体化したネオ産業報国会としての「連合」を脱構築するために、いまこそあらゆる戦線で奮闘しようではないか。

日米グローバル同盟反対！　憲法改悪粉砕！　岸田政権による独占資本支援のための国家資金投入と人民への犠牲強制を阻止せよ！　岸田日本型ネオ・ファシズム政権の打倒をめざしてたたかおう！

「新しい資本主義」という名の日本資本主義生き残り策への協力

岸田の唱える「新しい資本主義」なるもの。それは、コロナ・パンデミック下での米・中の台湾を焦点とする軍事的・政治的角逐の激烈化とグローバル・サプライチェーンの分断、地球温暖化と気候変動によって促迫された「脱炭素化」をめぐる国際競争の激化、このただなかにおいて日本帝国主義が生き残っていくために、これまでにない巨額の国家資金――労働者・人民から搾りとった血税だ！――を、大企業の「デジタル化投資」「脱炭素化投資」などへの支援に惜しみなく注ぎこんでいくことを、その心棒に据えたものにほかならない。こうした大企業支援策を首相・NSC（国家安全保障会議）のトップダウンで貫徹せんとしている岸田は、それに〝国民各層の合意〟という仮象を付与するために、「新しい資本主義実現会議」という名の首相直轄の政府会議を創設した。そしてこの「実現会議」（主要閣僚と十五人の「有識者」メンバーから成るそれ）に、経団連・経済同友会・日本商工会議所という経営者三団体の代表を揃って招聘《しょうへい》するとともに、「労働団体代表」として「連合」の新会長になった芳野友子を招き入れた。安倍政権でも菅政権でも、こうしたトップレベルの政府会議から徹底的に排除されてきた「連合」労働貴族は、この招請に嬉々としてとびつき、岸田式の「新しい資本主義」なるものの実現に、政府・自民党と協力して邁進することを宣言したのだ。これこそは、労働組合のナショナルセンターである「連合」がネオ・ファシスト政権に抱きつき、もって「連合」傘下の七〇〇万余の労働組合員を、岸田自民党政権による反人民的な社会経済・労働政策実現の尻押し部隊として売り渡す大犯罪にほかならない。

岸田政権・自民党はいま、「デジタル化・脱炭素化」をめぐる米・欧・中など各国との国際競争を勝ちぬくための「成長戦略」の柱として、「科学技術立国の実現」や「経済安全保障」をおしだし、「デジタル、グリーン、人工知能、量子、バイオ、宇宙」などの先端科学技術の研究開発に巨額の投資をすすめると宣言している。自民党の選挙公約では、「脱炭素化」を口実として原発の再稼働・小型モジュール炉の地下立地・核融合研究などをすすめることもうちだした。こうした「デジタル化・脱炭素化」に対応した産業構造・事業構造への再編をおしすすめるために、コロナ不況下で立ちゆかなくなった中小零細企業の淘汰をすすめ、国際競争力を失った産業・事業に従事する労働者の解雇・転職を促すことをもくろんでいるのが、岸田政権・自民党なのだ。

コロナ・パンデミックのもとで安倍晋三・菅義偉の両自民党政権が生活補償も中小事業者支援もせずに「緊急事態宣言」の発令をくりかえしてきたことによって、多くの中小零細企業が倒産・休廃業・解散に追いこまれた。そしてコロナ不況下の収益減を口実として資本家どもは、労働者にたいして首切り・雇い止め・シフト削減や賃金カットを、そして労働強化を強制してきた。「緊急事態宣言」等が解除されたいま、政府・自治体の支援金が途切れることによって、これまで緊急の借り入れによってなんとか凌《しの》いできた中小零細企業が債務負担に耐えきれずに倒産し、さらに多くの労働者が路頭に放りだされようとしているのだ。石油価格の高騰をはじめとする急激な物価上昇によっても、労働者・人民の生活苦はいよいよ深まっているのだ。

まさにこのようなときに、困窮する労働者・人民を切り捨てて「ポスト・コロナ」にむけた大企業支援策に狂奔する岸田政権・自民党に抱きつこうとしているのが、「連合」芳野指導部なのだ。

〝日本型ネオ・ファシズム政権を支える労働運動〟への突進

二〇二一年十月六日の「連合」第十七回定期大会において新会長に就任した芳野（JAM副会長、旧同盟系のJUKI労組出身でゴリゴリの反共イデオロギーの持ち主）は、初めての記者会見（同月七日）で、「〔各地で〕連合推薦候補者の選対に共産党が入りこんで両党の合意をタテに共産党政策をねじこもうとする動きがある」と叫んで、「共産党の閣外協力はありえない」と立憲民主党に釘をさした。「連合」指導部は、今大会で決定した「二〇二二〜二〇二三年度運動方針」においても、「左右の全体主義を排す」という「連合の政治方針」を再確認し、その反共の立場を鮮明に示したのだ。

今大会では、新会長・芳野とともに、事務局長には初の公務員労組出身者となる日教組委員長・清水秀行が、そして会長代行にはUAゼンセン会長・松浦昭彦と自治労委員長・川本淳（再任）が選出された。これまでそのいずれかが会長か事務局長を引き受けてきた自動車総連・電機連合・基幹労連のJCメタル三大産別指導部は、今回は三役（会長・会長代行・事務局長）に役員を送りこむことを拒んだ。

会長・事務局長の人事は、各独占体・資本家どもの利益を代弁した各産別労組指導部の角逐のゆえに大会直前まで決まらなかった。一部の産別が推薦した事務局長・相原康伸（トヨタ労組出身）の会長昇格案は、トヨタ社長・豊田章男の命を受けたトヨタ労組指導部の「反対」でつぶされた。電気自動車などの開発・普及をめぐっての国際競争を勝ちぬくために〝トヨタ優先〟の「脱炭素化」政策を採ることを自民党政府に求めているトヨタ経営陣は、自社出身の労働貴族が（政権与党である自民党と対立する立民支持の）旧総評系を抱えた「連合」のトップになることを許さなかったのだ。トヨタ労組だけではなく、自動車総連・電機連合・基幹労連の労働貴族どもはすべて、みずからの産業の〝持続と発展〟を賭けた「政策・制度要求」――各産業の独占資本家どもの〝対政府要求〟をそのままなぞったそれ――を実現するために、政府・自民党との直接的交渉・とりひきを〝重視〟する方向へといまや舵を切っている。そのために彼らＪＣ労働貴族は、「連合」の枠に縛られることなく政府・自民党と連携・協力する〝フリーハンド〟を確保するために、あえて三役入りを拒んだのである。

ＪＣ労働貴族はいま、「デジタル化・脱炭素化」をめぐる国際競争に日本企業が生き残るために諸外国に対抗して日本政府が国内の産業・企業の「成長」のためにこれまでにない援助をおこなえ、と叫んでいる。彼らの今年度版「政策・制度要求」では、「ＤＸ、新冷戦、カーボンニュートラル」に対応する「野心的」な成長戦略を策定せよ、と政府に要求しているのだ。彼らは、「デジタル化・脱炭素化」にむけた技術開発と産業構造・事業構造の再編をすすめ、中国企業（ファーウェイなど）を排除した半導体や５Ｇなどの高度先端技術のサプライチェーンづくりを日本の産業復活のチャンスにするために、アメリカや中国並みの巨額な国家資金を企業に投入することを政府に求めているのだ。「脱炭素化のためには原発が不可欠」と叫びたてて、原発の再稼働や新増設に突き進む自民党政権を尻押ししてもいる。

いま、アメリカを凌駕する「社会主義現代化強国」にのしあがることをめざすネオ・スターリン主義国家中国が巨額の補助金などの産業育成策によって、軍事技術ともむすびついたＡＩ（人工知能）・５Ｇなどの高度先端技術部門や、新たなエネルギー源開発の一部で先行しつつある。このことに焦った没落帝国主義アメリカは、この中国に対抗して半導体や「脱炭素化」の技術開発とその普及に膨大な国家資金を投入し企業支援をはじめている。この両国の狭間で、〝手厚い国家的支援なくしては国際競争に生き残れない〟という日本の独占ブルジョアジーの危機感をわがものとして「政策・制度要求」をねりあげているのが、ＪＣ労働貴族なのだ。

このような独占資本家どもの意を体した産業政策の実現を求めている彼らＪＣ労働貴族は、いまや野党議員をつうじて政府に要請したり「政権交代」にエネルギーを費やしたりすることよりも、経営者と二人三脚で自民党との関係を強化することの方が「現実的だ」と考えている。それゆえに彼らは、みずからの労組の組織内議員が所属している国民民主党に働きかけて「野党共闘」と距離をとらせ、総選挙の結果次第では「自民党への協力」の道をすすませようと企んでいるのだ。

「連合」内で、こうした動きの最先頭で突っ走っているのが、自動車総連の最大労組たる全トヨタ労働組合連合会（三二四組合、三五・七万人）の労働貴族である。彼らは、十月十四日に、トヨタ労組の組織内議員で連続六期十八年も衆議院議員を務めてきた古本伸一郎に――〝産業政策を超党派で実現するために政党間の対立構造を避ける〟という口実をひねりだして――次期衆院選（小選挙区・愛知十一区）への不出馬を表明させ、もって自民党候補の当選を実質上後押しするという挙にでた。彼らはこのかん、「自動車業界を理解してもらえる議員であれば、党にこだわらず協力しないと政策実現の実行力やスピードを得られない」（会長・鶴岡光行）と公言して、国民民主党や立憲民主党のみならず自民党・公明党の国会議員との会談を重ね連携を強めてきた（九月一日には、自・公・立民・国民の愛知県連代表とともに愛知県知事・大村秀章に「愛知カーボンニュートラル懇話会」という名の協議体の設置を要請した――本号「政府・自民党にすがりついたトヨタ労働貴族」論文参照）。このような追求を基礎にして、トヨタ労働貴族はいま、公然と自民党に抱きついたのだ。

この全トヨタ労連を最先頭にして、右派労働貴族が牛耳る民間産別諸労組は、みずからの産業・企業の「持続的発展」を促す産業政策を実現するために、次々に自民党との連携をすすめようと動きはじめている。電力総連傘下の関西電力労組などの諸労組もまた、「原発の再稼働・新増設・立て替え」をすすめるために、原発立地地域で「裏推薦」などによって自民党候補を支えている。

〔すでに春闘にさいして彼ら自動車総連・電機連合・基幹労連などの労働貴族は、「産別自決」の名のもとに、「連合」として決めた「二%程度」という賃上げ要求の「目安」を無視して一%以下の「三〇〇〇円以上」という超低額の要求基準を決定して春闘破壊を主導してきた（自動車総連は二年前から要求基準の設定じたいをやめた）。JC労働貴族は、いまや春闘のみならず選挙においても「産別自決」を貫徹しようとしているのだ。〕

それだけではない。いま彼らは、「連合」内にとどまりながら、「立憲民主党支持」の公務員労組を も抑えこみつつ「連合」をさらに右へと引っ張り、〝自民党政権と協力するナショナルセンター〟へと変質させようとしているのだ。この右派労働貴族どもと腹合わせした岸田政権・自民党は、「連合」全体をみずからの懐に深くとりこむために、新たに「連合」会長となった芳野を「新しい資本主義実現会議」の民間議員として招聘したのだ。これにとびついた「連合」指導部は、ついに自民党によって担われている日本型ネオ・ファシズム政権を積極的に支える存在としてたち現れた。これこそは、ネオ産業報国会として変質に変質を重ねてきた「連合」の反労働者的腐敗の今日的到達点にほかならない。

「救国」産報運動を突き破れ！

「連合」指導部は、今大会において、『『持続可能性』と『包摂』を基底に置いた連合ビジョンの実現を念頭に、運動の再構築を一層前進させていく」と称して『「改革パッケージ』のさらなる推進」を基調とする運動方針を決定した。

それは、二年前の大会でうちだした「改革パッケージ」にのっとって「運動領域の整理と重点化」の名のもとに、「重点分野」を①「集団的労使関係の追求」（組織拡大など）、②「安心社会とディーセント・ワークをまもり、創り出す運動の推進」（社会保障・教育制度・税制改革などの「政策・制度要求」や「賃金・労働諸条件の向上」など）、③『真の多様性』が根づく職場・社会の実現」（ジェンダー平等など）の三点に限定し、平和運動などを「推進分野」に格下げしたものである。この「改革」をさらに「徹底する」ことをうちだしたのが、「連合」指導部なのだ。

(1) 今回の運動方針でも、かつては「連合」運動の大目標として位置づけられてきた「雇用・ワークルール・社会的賃金相場の形成」は方針の末尾に〝格下げ〟されたままで、春闘にかんする方針の具体的な内容はまったくない。その意味することは、春闘については「連合」としては主導せずに、「産別自決・単組自決」を徹底する、ということなのだ。「連合」は、各産別が参考にするためのデータとし賃上げ要求や妥結結果の集約・宣伝をおこなったり最低賃金の引き上げにとりくんだりすることに、その役割を限定するということなのだ。

現に「連合」指導部は、二一春闘では、コロナ・パンデミック下で業種・企業ごとに業績に大きな差が生みだされたことを口実として「それぞれの産業における最大限の『底上げ』にとりくむ」とすることによって、「二％」という「底上げ」の〝目安〟（賃金水準の低い中小企業労組むけのもの）さえも棚に上げて「産別自決・単組自決」を促した。こうした「連合」の〝公認〟のもとに、大企業労組指導部は「賃金改善」要求さえ完全に放棄し、春闘をそれぞれの産業・企業の「持続的成長」のための労使協議へと純化させたのだ。

「連合」指導部は、来る二〇二二春闘にむけて、こうした二一春闘を引き継いで、「産別自決」の名において産別組織がそれぞれの産業・企業の業績に応じて賃上げ要求を自制することを容認する方針をうちだそうとしているのだ。このような方針は、まさに「企業別労組の産業別勢揃い」という日本型賃金闘争としての春闘を最後的に埋葬するものにほかならない。

⑵「連合」指導部が運動方針で強調しているのは、「ＡＩ／ＩｏＴのさらなる活用など経済・社会全体のデジタルインフラの整備」や「カーボンニュートラル」の実現にむけた対策を政府は採れ、という「政策・制度要求」である。それは、文字どおり独占資本家どもの対政府要求とウリふたつのものだ。しかも許しがたいことに、こうした企業支援策とともに、「適切な給付・職業訓練・就労支援がパッケージとなった『雇用と生活のセーフティーネット』『失業なき労働移動』の具体化」を政府に求めることを強調しているのだ。

彼らは、「デジタル化・脱炭素化」に対応した産業構造・事業構造の転換を強行するために企業経営者が労働者を解雇することに反対しようともしない。その「負の影響を最小限に止めるなど『公正な移行』をすすめる」と称して、労働者に技術・技能・知識の体得を促し新たな産業・職務で働くようにしむける制度づくりを政府に求めているのだ。これはまさに、政労使一体でのリストラ促進の要求ではないか！

(3)「推進分野」に格下げされた「平和・連帯、社会貢献」の課題としても、「ゆにふぁん運動」と称する「支え合い助け合い運動」(ボランティア支援など)が前面におしだされ、平和運動については「戦争や大規模災害などの実相を風化させず継承していく」ものに限定している。そこには、平和運動センターに結集する自治労・日教組や地方連合会の反基地闘争などを抑えこむという右派労働貴族の意図がつらぬかれているのだ。

(4) それだけではない。「連合」労働貴族は、「集団的労使関係の構築」の方策として、地方連合会の労働相談体制を解体して三ヵ所(東京・愛知・大阪)の「連合労働相談センター」に集約し、労組結成の可能性がある場合には「地方連合会・構成組織への連絡」によって産別組織による組織化につなげることをうちだしている。

さらに、「地方直加盟・特別参加組織・地域ユニオン(単組)の構成組織移行」促進と「地域ゼネラルユニオン連合」のあり方の具体化(地方直加盟組織を産別組織の統制下におくためのそれ)、「労働者代表制」の制度化(少数派労組の権利を制約することになるそれ)、「地方会費の連合本部会費への一本化」(地方連合会財政の「連合」本部からの交付金化による地方連合会への締め付け)なども、この二年間に実行するとしている。

これらはすべて、経営者を説得して階級協調主義・労使協議路線を採る組合を結成しているUAゼンセンの労働貴族が主導して、企業経営者にたいする争議にとりくむ合同労組や個人加盟ユニオンの運動を抑えこみ、産業・企業の発展を支える労組を結成・拡大することを狙ったものなのだ。これが「連合」労働貴族が今運動方針で強調している「集団的労使関係の構築」なるものの内実だ。何が「すべての働く仲間とともに『必ずそばにいる存在』へ」(大会スローガン)だ！

反労働者性をむきだしにした「連合」指導部を弾劾せよ

すべてのたたかう労働者諸君！　われわれは、いまや〝岸田ネオ・ファシズム政権を支える労働運動〟への道を突き進む労働貴族を徹底的に弾劾し、ネオ産業報国会としての本性をむきだしにして自民党政府にあみこまれ一体化した「連合」を脱構築するために全力で奮闘するのでなければならない。

コロナ・パンデミックのもとで、ＩＣＴ企業をはじめとする独占諸企業と富裕層が企業減税と「異次元の金融緩和」策による株価高騰に支えられてますます肥え太っている。独占体経営者どもは「コロナ禍」を利用して大リストラと〝デジタル合理化〟をおしすすめ、労働者の強搾取をつうじて巨大な利潤を獲得し内部留保として貯めこんでいる。かくて労働者・人民の多くが首を切られて仕事を失い、また大幅な賃下げを強いられて貧窮のどん底に突き落とされている。――コロナ・パンデミックをつうじてあらわとなった、こうした凄絶な格差の拡大と労働者・人民の貧困化は、ソ連邦崩壊を機に資本のグローバライゼーションが一気にすすむなかで日本独占資本家階級とその政府による労働者への犠牲強要が、労働貴族と転向スターリニストの犯罪的対応のゆえに許されてきた、その結果にほかならない。

岸田政権の反動攻撃にたいする一切の大衆的闘いを放棄し、〝資本主義の健全な発展のための代案〟の宣伝に明け暮れる日共中央を許すな！　岸田がしつらえた「新しい資本主義実現会議」という政府〝戦略会議〟にみずから飛びこんで、ネオ・ファシズム政権の極反動攻撃の先兵と化した「連合」労働貴族を徹底的に弾劾せよ！

すべてのたたかう労働者は、全学連の革命的学生たちと連帯して、岸田日本型ネオ・ファシズム政権の打倒にむけて突き進め！

（二〇二一年十月十八日執筆、十月末加筆）

岸田自民党政権を支える労働運動への転換

――「連合」二〇二三年度運動方針――

越塚大

「連合」第十七回大会(二〇二一年十月六日)で選出された新会長・芳野友子は、首相・岸田文雄の招請に応えて、首相直轄の「新しい資本主義実現会議」に、その「有識者」メンバーとして参加した(十月二十六日第一回開催)。首相を議長とし、主要閣僚と経営者三団体の代表などで構成されるトップ・レベルの政府会議。それに「連合」代表が正式参加したということの事態は、「連合」芳野指導部が、首相・NSC(国家安全保障会議)を頂点とする専制的支配体制――日本型ネオ・ファシズム支配体制の今日的姿態としてのそれ――の機構の中にがっちりと組みこまれたことを意味する。かくしていまや「連合」は、ネオ産業報国会としての本性を赤裸々にして〝日本型ネオ・ファシズム政権を支える労働組合ナショナルセンター〟として変質させられようとしているのだ。

すべてのたたかう労働者は、政府・自民党に公然と抱きついた「連合」指導部のこの歴史的大犯罪を弾劾し、「連合」の脱構築をめざして奮闘しようではないか！

一　自民党政権に抱きついた芳野新指導部

第十七回大会は、「連合」指導部の新たな腐敗を画する大会となった。そのことはまず、新執行部の人事において現われた。

今大会において「連合」は、神津里季生の後継会長にＪＡＭ副会長の芳野友子を、事務局長には日教組委員長の清水秀行を選出した。この会長・事務局長の人事をめぐっては大会直前まで人選が進まず、立候補締切りを延長せざるをえないという異例のドタバタ劇が演じられた。この役員人事の難航は、直接には、「連合」指導部内の支持政党をめぐっての抜きさしならない対立に根差したものである。

昨年の神津指導部が主導して進めた立憲民主党と国民民主党の合併工作は、旧同盟系のＵＡゼンセンや自動車総連、電力総連（および電機連合）などの反発と抵抗によって頓挫した。しかし、それでもなお会長・神津が「立憲を主軸に支援する」とうちだしたことによって、旧同盟系やＪＣメタルの労働貴族が反発し、「連合」指導部内の対立が激化してきたのだ。それゆえに神津の任期切れをまえにして新会長への就任を打診された自動車総連やＵＡゼンセンそして運輸労連など大手産別の幹部は、これを軒並み拒否したのである。前事務局長・相原康伸は、新会長就任に色気を見せていたものの、トヨタ経営陣の意をうけた出身単組のトヨタ労組から反対されて断念した。彼ら右派労働貴族は、立憲民主党が日本共産党とのあいだで小選挙区の候補者調整や市民連合を介した政策協定を結ぶなど連携を強化していることに危機感を燃やして、旧来の「政治方針」にしばられる会長職を引きうけることをそろって拒否したのだ。

今回の会長・芳野と事務局長・清水の就任は、旧同盟系労働貴族と旧総評系ダラ幹との政治方針の対立に蓋《ふた》をしたまま当面の妥協をはかったものでしかない。それゆえに、採択された「政治方針」においては、目前に迫った総選挙や来年の参議院選挙に向けた支持政党については具体的に触れることができず、「左右の全体主義を排し、健全な議会制民主主義が機能する政党政治の確立を求める」「政権交代可能な二大政党的体制をめざす」という従来の「連合の基本的立場」を確認しているにすぎないのだ。ここで「左右の全体主義を排し」と強調しているのは、日共との「共闘」を強める立憲民主党の動きを牽制するためなのだ。

神津前指導部が推進してきた支持政党の一本化に反発する右派労働貴族どもは、いまや全トヨタ労連が自民党愛知県連との政策協議をおこなったことに示されるように、むしろ自民党との関係強化をはかる動きを示している。

JC系や旧同盟系の大手単産の労働貴族どもは、政策制度要求、とりわけ経営者と連携してうちだしている「脱炭素化」「デジタル化」に向けた産業構造再編などの産業政策要求を実現するためには、野党をつうじてではなく、直接的に政府や自民党と交渉して取り引きする道を選びとりつつある。そのためにも、みずからの産別出身議員が所属する国民民主党そのものの自民党との連携強化を、さらには合流をも模索させているのである。

このような支持政党をめぐる対立をかかえながらも、それらの妥協のうえに登場した芳野新執行部は、政府権力者や独占資本家との「国難」突破のための政労使協議に「連合」としてのすべての取り組みを解消しようとしている。いや芳野が首相直轄の政府会議の正式メンバーとなることによって、彼らは、岸田政権がうちだす政策の「審議」過程にとりこまれ、その反人民的政策の貫徹の先兵と化しつつあるのだ。

〔しかも、櫻井よしこらの『産経新聞』『正論』などに集まるネオ・ファシストグループは、この数年、UAゼンセンをはじめJC系・旧同盟系単産をほめたたえる他方で、官公労系の労組との決別を彼らによびかけ、官公労系をはじめ旧総評系主要単産が、なおそれなりの力を保持しているとみなして現在の

「連合」からの離脱を煽りたてている。このようなネオ・ファシストどもの煽動に応えて動きだしているのが、電力総連・UAゼンセン・基幹労連などの右派労働貴族なのだ。」

二　「デジタル化」「脱炭素」政策の尻押し

第十七回大会において「連合」指導部は、「安心社会へ新たなチャレンジ」をメインスローガンとした「二〇二二〜二三年度運動方針」を決定した。

この運動方針の第一の特徴は、自民党政権が推進してきた「経済や行政のデジタル化」や地球温暖化防止のための「カーボンニュートラル」に向けた諸政策に同調し、これを支え促進することを運動の基調としている点である。

「連合」方針では、彼ら労働貴族の主人である独占資本家の意向に応えて政府にたいして「AI／IoTのさらなる活用など経済・社会全体のデジタルインフラの整備」を要請するとともに、「『カーボンニュートラル』の実現に向け、国民生活や産業・雇用、資源・エネルギーなどへの影響や課題とその対策について検討する」としている。それとともに、「デジタル化」などによる「負の影響を最小限にとどめるなど『公正な移行』をすすめる」ことを提唱している。

こうした方針は、極めて犯罪的なものにほかならない。すなわち、菅前政権は、感染症対策の遅れの原因を「行政のデジタル化の遅れ」にすり替え、それを口実にして労働者・人民の一元的管理の強化と独占資本によるビッグデータの活用を促進するために、各省庁にまたがる人民の個人情報をマイナンバーカードにより統一する「行政のデジタル化」を推進してきた。こうした政府の施策を全面的に肯定し、それを尻押ししているのが「連合」方針なのである。

同時に日本の独占資本が国際競争に勝ちぬくために進めているデジタル技術などの新技術の開発および生産過程や業務過程・流通機構などへのそれの導入を促進する観点から、この「デジタル化」にともなう失業者の増大などの「負の影響」を見越して「職業訓練・就労支援」策を「失業なき労働移動」などと称して政府に求めているのである。それらの支援策で促進された首切り＝転職を、産業構造の転換にともなう「公正な移行」などと基礎づけているのが「連合」指導部なのだ。

パンデミック恐慌のもとで非正規雇用労働者の雇止めや解雇などにより失業者が何十万人も増大しているにもかかわらず、「連合」の運動方針においては、「産業雇用安定助成金による在籍出向の活用」を提唱したり、企業経営者による首切りの強行を前提にしたうえで政府に「雇用創出事業とマッチングの強化」を求めたりしているにすぎない。

さらに春闘における賃上げ闘争にかかわることについては、文字通りほんの一言、「労働条件の社会横断化を促進する」と触れているだけなのだ。このことは、来春闘に向けて春闘方式による賃上げ闘争を現実的にも最後的に葬りさる「連合」指導部の意志を如実に示している。〔「連合」指導部は、二年前に策定した「連合ビジョン」において運動の「重点分野」から春闘の項目を外し、運動の基軸を日本経済の回復に向けた「産業政策の推進」に移した。〕

三 「新しい運動スタイルの構築」なるもの

「連合」の運動方針の第二の特徴は、「コロナ禍」を口実にして「リアルとオンラインそれぞれの特性を適切に融合」した「新しい運動スタイルの構築」なるものをおしだしている点にある。

「連合」指導部は、昨年の新型コロナ感染症の拡大を契機にして、従来おこなってきた春闘やメーデーなどの大衆集会を一部の本部役員のみが集合して開催し、それをオンラインで配信するという方式に解消してきた。こうした大衆集会だけではなくオンライン中心の「運動スタイル」を「連合運動の新たなフィールドを開拓するうえで極めて重要な意味をもつ」などと肯定的に評価し、今後はこの方式を本格的に普遍的なものたらしめようとしているのである。「連合」指導部は、従来はまがりなりにも各産別の組合員を動員しておこなっていた大衆集会やデモ行進などを「コロナ禍」を絶好のチャンスとばかりに「新しい運動スタイルの構築」の名のもとに放棄しようとしているのだ。オンラインの活用によって組合員以外の「働く仲間」との「緩やかなつながり合い」を築いた、などと針小棒大に宣伝して、「変化に対応した労働運動のスタイル」によって「連合」を「すべての働く仲間とともに『必ずそばにいる存在』になるべく、その位置づけを高める」などとおしだしているのである。

「連合」指導部が、このような「新たな運動スタイル」なるものをうちだしたのは、――大衆的取り組みのいっさいを否定し放棄しようとしていることに示されるように――彼らが本当に〝寄り添ってい る〟のが労働者ではなく政府権力者や資本家にほかならないことをおし隠すためなのだ。彼らが「新しい運動スタイル」の名のもとに実現しようとしている運動の内実は、「健全な生産性運動に裏打ちされた労働運動の魅力の発信」であり、「政労使の三者による社会対話のみならず、幅広い社会の構成者と積極的に対話を重ねること」だと、されているのだ。

「連合」指導部は、「労働者の権利」を政府や経営者に要求するのではなく、経営者をはじめとする他の「社会の構成員」との「対話と協調」をめざすステークホルダーとして労働組合を位置づけ、それにふさわしいオンラインなどを主要な手段にしたところの「運動スタイル」を主張しているのだ。それは、「国難」突破のために〝政労使一体〟となってとりくむことを基軸とするものであり、貧困と労働強化に苦しむ労働者を無視した、もっぱらオンラインを使った上意下達の〝情報提供・伝達〟のようなものでしかない。このようなものとしてそれは、組合員の団結をバラバラにし、労働貴族による組合員の分断・支配をよりいっそう強めるものとなるのである。

四　「労働者代表制」の反労働者性

「連合」の運動方針の第三の特徴は、「すべての職場における集団的労使関係の構築・強化」と称して、改めて「労働者代表制」なるものの法制化に向けた取り組みの強化をうちだしている点である。「連合」指導部は、かつて作成した「労働者代表法案要綱骨子」の見直し案を八月の中央執行委員会に提起した。彼らが画策している「労働者代表制」とは、現行の労働基準法に規定されている三六協定などの労使協定を結ぶ際の過半数代表（過半数組合か、それがない場合には過半数代表者）制度に代わるものとしてうちだされている。彼らの問題意識は、労働組合の組織率が低下し、過半数の労働者を組織する組合が存在しない職場が増加しているなかで、「労働者代表委員会」なるものの設置を義務づけ、そうすることによってすべての職場に「集団的労使関係」を構築する、というものである。しかし、これにたいして「連合」加盟の中小組合を組織する産別などから「中小組合の権利を侵害する」とか、「この制度ができれば、新たな組合の組織化が進まない」などの批判の声が噴出した。こうした批判を懐柔するために「連合」指導部は、法案に「使用者との対等性の確保」という文言を加えると同時に「労働者代表委員会を労働組合に発展させていく取り組みを強化する」などとおしだしている。

しかし、各事業所に「労働者代表委員会」の設置を義務づけることによって「集団的労使関係のなかに多くの労働者の声を反映させることができる」などというのは、まったくのゴマカシにすぎない。この法案では、「労働者代表委員会」は使用者（資本家）から資金などを供与され運営されることが大前提となっており、資本家の意向に従属したものになることは火を見るよりも明らかである。それは資本家による生産性向上に向けた労働強化策にそれが「労使合意」にもとづくものであるかのような仮象を与えるものでしかない。「労働者代表制」なるものは、まさに職場で奮闘する少数組合の活動を制限し封殺するものであり、労働組合を破壊したり、つくることを妨害したりする資本家に手を貸すもの以外のなにものでもない。

「連合」指導部の「二〇二二〜二三年度運動方針」は、あらゆる意味において、自民党政権が日本帝国主義経済の停滞と危機をのりきるためにうちだした反人民的諸施策の貫徹を尻押しするものである。

そして、独占資本家どもによる労働者にたいする首切り・賃下げ・労働強化・労組破壊などの攻撃に手を貸すものにほかならない。それは、「連合」指導部が採ってきた(政)労使協議路線の必然的帰結であり、そのイデオロギー的本質は階級協調主義にほかならない。

独占資本家どもと手を携えて、岸田日本型ネオ・ファシズム政権を公然と支える道へと転進した「連合」芳野指導部を徹底的に弾劾せよ!

政府・自民党にすがりついたトヨタ労働貴族

岩瀬健治

「カーボンニュートラル」下の〝トヨタ生き残り〟への挺身

トヨタ自動車系の労働組合が加盟する全トヨタ労働組合連合会(三五万七〇〇〇人、三一四労組加盟)は、二〇二一年九月一日に大村秀章愛知県知事のもとに自民・公明および立憲民主・国民民主の各党県連とともに「愛知カーボンニュートラル懇話会(仮称)」を設けると発表した。この懇話会は、自動車産業の発展に向けた政策を実現することを目的にすると銘うっている。しかしその内実は、世界的な「EV

（電気自動車）」化の流れに遅れをとるトヨタ自動車資本の利害を代弁し、トヨタの主力製品であるHV（ハイブリッド車）を政府の「カーボンニュートラル」政策に適合した標準車として認めてもらうために、政府・自民党にたいして愛知の〝政労〟が一丸となって要請するためのものなのだ。

政府が掲げている「カーボンニュートラル」とは、地球温暖化対策として菅前政権がうちだした「脱炭素」化のスローガンである。これまで全世界の権力者たちから「石炭火力発電への依存」を猛烈に非難されてきた日本政府は、菅義偉が首相に就任した直後の昨二〇年十月に、「二〇五〇年までに温室効果ガスの排出を全体としてゼロにする」とうちあげた。つまり自動車などが排出する二酸化炭素などの量を、自然吸収量（および除去量）と〝差し引きゼロ〟の水準にまで削減する（すなわち「ニュートラルにする」）という「目標」だ。

これを進めるならば次世代自動車の開発をめぐって、HV（エンジンとモーターの両方の動力で動く車）を世界に先がけて開発し、世界市場を席巻してきたトヨタ自動車にとっては、みずからのこの優位性を一気に奪われることになりかねない。HVは二酸化炭素の排出を大幅に削減するとはいえ、化石燃料でエンジンを動かす以上、それはゼロではない。それゆえにトヨタ経営陣は、次世代の「脱炭素化」対策として、HVやPHV（プラグイン・ハイブリッド＝外部電源から充電可能なHV）をあくまでも維持しつつ、EV（バッテリーの電力でモーターを動かす車）やFCV（水素で発電してモーターを動かす燃料電池車）、さらには従来のガソリン・エンジンを転用して利用できる水素エンジン車などを同時並行的に開発している。

これにたいして、ヨーロッパ、とりわけドイツの自動車メーカー（ベンツ、BMW、フォルクスワーゲン）はトヨタのHVを一気に〝時代遅れ〟にしてしまうために、EVに全面的にシフトすると宣言している。（これを支援するためにEUは、三五年からHVを含む排ガス車の新車販売を全面禁止すると発表した。）この流れは世界中の大手自動車メーカーばかりではない。日本のホンダは四〇年にはすべての新車をEVにするという方針をうちだし、日産も三〇年以降の新車販売をEV主流（残りは日産独自のHV）にするといわれている。そうするならばトヨタがこれまでHVやFCVなどで築きあげてきた技術的優位性にもとづく市場での優位は完全に失われ、「次世代車」商戦で敗者に転落しかねないのだ。

危機感にかられたトヨタ社長・豊田章男は、この自社の危機をあたかも日本の自動車産業全体の危機であるかのようにおしだし、自動車工業会会長として〝五五〇万人の雇用の危機だ、日本経済が衰退してしまう〟とさわぎたてている。彼は、「カーボンニュートラルにおいて私たちの敵は炭素であり、内燃機関〔エンジン〕ではない。一部の政治家からはすべてをEVにすればよいなどという声を聞くことがあるが、それは違う」と記者会見で述べてもいる。

こうした社長をはじめとするトヨタ経営陣の意を体して会長・鶴岡光行が率いる全トヨタ労連執行部は「自動車や部品メーカーは産業構造の変革を余儀なくされる。雇用や競争力の維持に向けた具体策を議論する」と称して、自民党をはじめとする超党派の各種議員に働きかけているのだ。一八春闘において社長・豊田章男から「私の危機感を共有できていない」と大恫喝を食らい、企業防衛意識をむきだしにしているトヨタ労組執行部と全トヨタ労連幹部ども。彼らは今日では、トヨタ自動車経営陣の〝生き残り戦略〟を組合の側からも積極的に支え、その実現に全面的に協力しようとしているのだ。「次世代自動車」の開発競争においてはHVやFCV、水素エンジン車などの従来の技術を幅広く生かすかたちで対応していくことを、労組の側から「雇用と生活を守るため」と言いかえて要求しているのだ。そのために、「電動車」の国際標準として、欧米の権力者たちがEVやFCVをもっぱら認証しているのにたいして、日本はHVやPHVをも次世代車の国際標準とするためにたたかえ、と政府・自民党に要求しているのだ。

「連合」を右へ〝牽引〟する全トヨタ労連指導部

これにたいして自民党は、トヨタ労働貴族の要請に応えて懇話会設立に、愛知県選出の全国会議員、県会議員、はては名古屋市、豊田市の市会議員を参加させている。数名しかいない立憲民主党の議員を尻目に、彼らは全トヨタ労連幹部と「これからもよろしく」と挨拶を交わしているのだ。これこそは、全トヨタ労連役員どもが完全にトヨタの企業利益拡大に貢献する活動を「組合運動」の中心軸にすえたことを意味する。労・使一体で政府・自民党にトヨタ企業の利益をおしこんでいこうとしているのだ。労組としては、各種の選挙において「協力」することをおしだし、自民党はそれを利用して票をかせごうという魂胆なのだ。

　これまで全トヨタ労連は、曲がりなりにも「連合」傘下の組織として立憲民主党や国民民主党と様ざまな政策協議を重ねてきた。自民党・公明党には陳情することはあっても、今回のような正式機関をつくり協議するのははじめてのことである。

　全トヨタ労連は、このかん「連合」中央との関係でも〝独自の道〟を歩んできた。昨年九月に旧立憲民主党と旧国民民主党の国会議員の合流が焦点になったときに全トヨタ指導部は、みずからの組織内議員である古本伸一郎らを、立民の「原発ゼロ」に反発して「無所属」にした。さらに今年六月には、旧民主党議員とこれまでつくってきた各種連絡会から立憲民主党の議員を排除し、組織内議員と一部国民民主党の議員に限るとしたのだ。「連合」にたいしても、神津里季生の次期の会長候補として一部から推されたトヨタ労組出身の事務局長・相原康伸の会長選挙への産別推薦を、トヨタ社長・豊田章男の命をうけて、自動車総連を通して拒否したのだ。他方でトヨタ経営陣および労働貴族どもの言いなりにふるまうトヨタ労組出身の金子晃浩を自動車総連会長、さらに金属労協議長に就任させている(九月上旬)。

トヨタ資本の生き残りという個別資本の利害を貫徹するために、トヨタ労働貴族どもは、なお自治労・日教組など「立憲民主支持」や「原発ゼロ」を掲げる諸労組との妥協を強いられることを嫌って、金属労協の大手・右派労働組合の労働貴族どもと共に――形式上は「連合」内にとどまりながらも――〝独自の道〟を歩もうとしているのだ。すなわち、自動車産業の「大転換期」に国際的にも、国内的にも「EV化」の流れからとり残されて危機感をつのらせているトヨタ経営陣の意を体し、その〝生き残り戦略〟を実現するために、彼らトヨタ労働貴族は、政府・自民党にみずから抱きついたのだ。労働組合員の「一票」を自民党に提供することを手みやげにして。

トヨタ労働貴族どもによるトヨタ資本の「生き残り」のための自民党へのすり寄り・抱きつきを許すな！「労使運命共同体」の思想に貫かれた企業防衛主義丸出しの「労働運動」を打ちくだくために奮闘しよう！

〔付〕十月十四日に、トヨタ労組の組織内議員である古本伸一郎(無所属)は、今次総選挙への不出馬を表明した。記者会見に同席したトヨタ労組幹部は、古本が立候補を予定していた愛知十一区に候補者を立てないと明言した。これを聞いた当地の自民党は「勝利確定」と小踊りしている。この「不出馬」はいうまでもなく、このかんの全トヨタ労連＝トヨタ労組の自民党へのすり寄り、両者の談合と取引の産物にほかならない。

DX推進と一体の能力主義教育の再編強化

――中教審答申「個別最適な学びと協働的な学び」なるもの――

日比成二

二〇二一年一月、文部科学相の諮問機関である中央教育審議会は「『令和の日本型学校教育』の構築を目指して～全ての子供たちの可能性を引き出す、個別最適な学びと、協働的な学びの実現～」と題する初等・中等教育にかんする「答申」を発表した。

新型コロナ感染が拡大した二〇年春、学校現場において、遠隔・双方向授業システムをはじめとしたＩＣＴ（情報通信技術）を活用することが喫緊の課題となった。このときに、日本の公立学校ではリモート授業を実施するためのＩＣＴ基盤の整備もＩＣＴ技術・知識の習得のための教育課程の再編も指導体制の整備もほとんど進んでいないこと、すなわちＩＣＴについての教育がほぼまったくおこなわれていないことを衝撃的に自覚させられたのが、政府・文科省ならびに独占資本家階級である。一九年四月以来、新学習指導要領の実施下での新たな学校教育の「在り方」をめぐって続けられてきた審議の渦中で起こったこのコロナ感染拡大によって、文科省・中教審はこの審議をＩＣＴ教育中心の内容に定めなおし、「答申」の作成を急いだのだ。コロナ拡大によってあらわとなったこの学校教育の「ＩＣＴ化」の・世界から「周回遅れ」の現状を打開するという日本独占ブルジョアジーの教育要求を体現したものがこの「答申」にほかならない。

この中教審答申は、「一斉授業方式中心」のこれまでの学校教育を抜本的に改め、個々の子どもの「資質・能力」に応じた成長をうながす「個別最適な学び」と「社会を形成していく上で不可欠」な「人間同士のリアルな関係づくり」を身につけさせる「協働的な学び」とを統一的に実現するべきだ、とおしだしている。その核心は、従来の日本の教育をば、「みんなで同じことを、同じように」を「過度に要求してきた」ものととらえ、子ども一人ひとりの特性や学習進度の違いにもとづく「個に応じた指導」（＝「指導の個別化」「学習の個別化」）を基軸としたものにＩＣＴの活用を基礎として抜本的に切り替えていく、とうちだしているところにある。

これは、従来の画一的な偏差値教育は「正確に早く」という効率重視の「工業社会」にみあったものだったが、いま求められるのは「自ら関心を広げ自発的に学ぶ、多様性を重視した自律的な学び」であるとする、独占資本家どもの要求に応えようとしたものである。日本の政府・支配階級は、いわゆる第四次産業革命における米・中・独などへの立ち後れを挽回せんとして、デジタル・トランスフォーメーション（ＤＸ）を叫びたてている。彼らは、このＤＸを推進するために、ＩＣＴを身につけ新たな産業・技術・サービス・商品を創造することができる人材――「愛国心」をもった「ＳＴＥＡＭ人材」（註１）――を育成する教育の推進を渇望している。この独占資本家階級の教育要求に応えて、「Society5.0」時代にふさわしいものへと教育制度・内容の大再編をなしとげるために提起されたのが今回の中教審答申である。（この「答申」においては、アメリカとともに「戦争をやれる」国ニッポンにふさわしい

「愛国心」を涵養する道徳教育＝国家主義教育は、すでに進められているものとして大前提にされている。）

「答申」を受けて文科省は、教育ビッグデータやＡＩ（人工知能）などのＩＣＴを最大限に活用することの教育改革を実現するために、小中高生への一人一台の端末の提供や小中高全校の情報通信基盤を整備する「ＧＩＧＡスクール構想」をうちだし、それを急ピッチで現実化しつつある。（文科省は、児童生徒と教員の個人データを自動的・継続的に収集している。これは菅日本型ネオ・ファシズム政権によるデジタル国民監視網づくりの一環をもなしている。）

そうすることによって、文科省・中教審は、教育労働者を「ＩＣＴ活用指導力」の習得・向上に駆りたて、さらなる長時間労働といっそうの労働強化を強制しているのだ。革命的・戦闘的教育労働者は、「子どものためのＩＣＴ教育」の代案を文科省に対置するにすぎない既成教組指導部をのりこえ、教育労働者にさらなる負担を強制する教育のＩＣＴ化に反対する闘いを創造しよう。そして教育のネオ・ファシズム的再編に反対する闘いを構築しよう。

1　「個別最適な学び」の反動性

中教審答申は、「令和の日本型教育」として「全ての子供たちの可能性を引き出す、個別最適な学びと、協働的な学び」とを一体的に充実することをめざすという。これは、工業製品の大量生産が中心をなしていた高度経済成長期に定着し、その後も引き継がれてきた教育――「言われたことを言われたとおりにできる」「上質で均質な労働者の育成」をはかるための「正解の暗記」や「同調主義」に偏ったものとされているそれ――に代わるものとしてうちだされている。

彼らのいう「個別最適な学び」の実現とは、従来からいわれているような・たんに能力別にクラス編成をおこなうというものではなく、ＩＣＴ機器を活用した教育方法によって、生徒一人ひとりに応じて指導方法や教材を選択し「最適」な教育をおこなうというものである。学習履歴(スタディ・ログ)や生徒指導上のデータ、健康データなどの「個人データ」を収集・蓄積し、AI解析の力を使って、個々の子どもの「知識」「言語能力」「情報活用能力」から「問題発見・解決能力」さらに「幼児期からの興味・関心」「キャリア形成の方向性」などを見極め、きめ細かな指導をするのだと「答申」はいう。

そのために、子供一人ひとりの特性や学習進度、学習到達度に応じて指導方法・教材、学習時間の柔軟な提供・設定(「特異な才能のある児童生徒」には「大学や民間団体等が実施する学校外での学び」への参加・遠隔オンライン教育の活用など)によって、それぞれの子どもに意欲を湧かせ「ICTを活用しながら自ら学習を調整しながら学んでいくように指導する」——子どもたちの学習進度に応じて、「学年や学校段階を超えて先の学年・学校の内容を学習したり、(逆に)学び直しにより基礎の定着を図ったりする」こともおこなう、という(注2)。

このような「個別最適な学び」は、第四次産業革命への立ち後れを挽回し、日本帝国主義の「経済力」を維持・強化するために、資本家どもが渇望しているICT人材を育成していくという政府・文科省の意を受けて提起されている。

政府・文科省は、「ギフテッド」と称される突出した才能をもつ子どもや、これまでの教育ではすくいきれなかった・特異な才能と学習困難をあわせもつ子ども、さらに特定分野でのみ傑出した能力をもつ子どもなどを、AI解析などを駆使してもらさず選別し、遠隔・オンライン教育技術などを活用して「最適」の英才教育をほどこそうとしているのだ(注3)。(独占資本家どもは、日本資本主義の危機を突破するために〝画期的な科学・技術の開発〟をなしとげるスーパー・エリートの育成を願望している。)

それだけではない。日本独占資本家階級は、〈AI—ビッグデータ—IoT(モノのインターネット)〉の開発・活用をめぐるグローバル競争にかちぬくために、AIを駆使してビッグデータを解析し様ざまな「モノ」を制御したり新たなサービスを創出したりする高い技術性をもった労働者（データ・サイエンティストなど）を大量に育成することを死活的問題としている。このような彼らの今日的な教育要求に応えるためにこそ、ＩＣＴ教育による「個別最適な学び」を、中教審は提起しているのだ。

大学などで身につけた技術的諸能力を生かして若者がたちあげた「スタートアップ」企業が競争にうちかち、売れるサービスを生産できると見込んだ他企業をＭ＆Ａ（企業合併・買収）によって吸収して巨大化したのがアメリカのＧＡＦＡ（グーグル、アップル、フェイスブック、アマゾン）やテスラなどであり、中国の巨大ＩＣＴ企業である。これらの例に垂涎しながら、「文理融合」のＳＴＥＡＭ教育をつうじて理系的な技術的諸能力とともにビッグデータを解析・処理し新たなサービスの創出に結びつけるような柔軟な発想力を兼ね備えた技術的労働者の育成をはかろうとしているのが日本の独占ブルジョアどもであり、彼らの要求に応えようとしているのが政府・文科省なのだ。

「答申」が「個別最適な学び」を提起しているのは、データ・サイエンティストなどの「高度デジタル人材」になる能力がないとみなした大多数の子どもたちにも、「Society5.0時代の読み・書き・そろばん」といわれるICTにかんする知識・技能を着実に身につけさせることをも目的としている。今、独占資本家どもは直接的生産過程や業務過程、流通機構に産業ロボットや無人レジ、AI、ビッグデータ、IoTを活用した設備を導入して「省力化・効率化」をおしすすめ、一部の高度技術労働者以外の多くの労働者を非正規雇用労働者や、ウーバーイーツの配達員のような・低賃金で労働基準法の適用除外とされる個人請負の労働者、そして超低賃金で一定年限で使い捨て可能な外国人労働者などに置き換えようとしている。

ようするに、「落ちこぼれ」た子や、「発達障害をもつ子」や、「日本語指導が必要な子」（外国人子弟）らにたいしても、ICTの活用をつうじて「一人ひとりの特性や学習進度、学習到達度」に応じた「指導方法・教材、学習時間等の柔軟な提供・設定」をおこない、もって、企業・社会において一定の役割を果たす人材として育成していくことをめざしているのである。少子化社会のもとでの労働力不足への対応策として、障害者・外国人や、これまでいわゆる「落ちこぼれ」とみなされた子どもたちを、一定の部署で労働に従事することができる労働力の担い手に育てあげるためにも提起されているのが「個別最適な学び」なのだ。

この「個別最適な学び」が「孤立した学び」に陥らないようにするために必要だとされているのが「協働的な学び」である。「協働的な学び」とは、必ずしもクラス全体でいっせいに学ぶという従来の授業方式をさすのではなく、異学年間の学び・他校や海外の子どもとの学びあい、あるいは地域の企業やリーダー、そして種々の専門家との交流などを授業の中心に組み入れ、他者の多様な意見を尊重しつつ合意形成をおこなう力を育成する教育をさす。このことは、「新学習指導要領」でうちだされた「主体的・対話的で深い学び」（アクティブラーニング）の実現の言い換えにほかならない。現在の大半の自然科学研究がプロジェクトチーム（一〇〇人を超える規模のものも多い）によって進められているのは周知のことである。日本企業や研究機関がイノベーションや先端技術の開発で世界に追いつくためには、大規模プロジェクト研究を担いうる人材、そしてそのリーダーを担いうる人材の育成が不可欠であって、教育のＩＣＴ化を進めるうえで、この「協働」する力の育成を欠かすことはできないと考えているのが中教審なのだ。

しかも、こうした「多様な他者との協働」なるものは、持続可能な社会、すなわち「Society5.0」の「創り手」としての「資質・能力」の育成にも不可欠のものとされている。

2　「新学習指導要領の着実な実施」の強調

こうした「個別最適な学びと協働的な学びの一体的充実」なるものは、「新学習指導要領の着実な実施」のためのものであることがくりかえし強調されている。すなわち、このかんの安倍・菅政権がおしすゝめてきた「愛国心」を注入する国家主義教育と、日本国家独占資本主義経済を米・欧・中との競争にかちぬいて維持発展させていくのに不可欠な人材を育成する能力主義教育とを、今日的に貫徹するための教育再編の核心点を提起したものなのだ。

たとえば、いま文科省は、これまで各教材会社などがバラバラのシステムで教育データを収集している現状を改め、文科省の統括のもとに相互に交換、蓄積、分析が可能となるようにデータを標準化し一元的な管理下に置こうとしている。「学習指導要領のコード化」はそのためのものである。指導要領の内容、単元ごとに規格コードを設定し、これを共通コードとして各教材会社が独自に収集した学習データに「横串」を刺すというこの事業は、教育データの標準化の基軸をなすとともに学習履歴、健康情報の活用と合わせて教育ビッグデータを国家管理のもとに一元化するシステム構築の一環でもある。そして何よりも、「学習指導要領」や政府見解とは異なる記述も許容されている民間企業の発行する教材、指導案、参考書などを指導要領に紐づけし、記述内容を統制しようというものにほかならないのだ。

超多忙化にさいなまれている多くの教員は、授業準備や研究のさいに不可避にこのシステムを利用することになる。とりわけ、道徳、環境、情報活用、さらに高校に導入される「ＳＴＥＡＭ教育」などの新たな授業内容を準備する場合にはなおさらこの「標準化」されたデータを利用しないわけにはいかなくなるのである。このことを文科省は「カリキュラム・マネジメント」が容易となり「効果の高い授業展開が可能となる」などと宣伝している。だがこれはＩＣＴを使って教育の国家統制をより強化する以外のなにものでもないのだ。

３　教育労働者への高強度・長時間労働の強制

「答申」では、教育のＩＣＴ化によって「教材研究・教材作成等の授業準備」「書類作成や会議等」による労力・時間の削減や「遠隔技術を使って各種会議を実施すること」による移動時間の削減などが実現され、「学校における働き方改革」が劇的に促進されるかのようにおしだされている。これはまったくの嘘八百というべきである。

今春にタブレット配布がおこなわれた学校現場ではその活用のための準備で業務が逆に増加している。コロナ感染の急拡大への対策にともなう業務の激増ともあいまって、いまや月一〇〇時間以上の超過勤務が学校職場で横行しているほどなのだ。これは教育のＩＣＴ化の過渡期における一時的な混乱にともなうものでは決してない。まずもって一クラス三十数名の全員にたいして「個別最適な学び」を指導するということ自体がとてつもない業務量の増加をもたらすのは火を見るよりも明らかである。個々の子どもの学習の進捗度、理解度、達成度、さらに家庭環境、健康状態、生活態度や興味・関心の対象まですべて把握して一人ひとりに「最適な」指導をおこなうことが、たかがタブレット一つでできるなどと考えるのはＩＣＴ物神崇拝と言わずして何と言おうか。

しかもクラスの全児童のタブレットのセットアッ

プから始まり種々のデジタル機器のトラブル対処、ひらがなを習得したばかりの小学校低学年の子どもに英字のパスワードを割り振って、操作できるように指導するという無理難題などを日常的におこなわなければならない。さらに〝社会の急激な変化を前向きに受け止め、つねに能力を向上していく〟〝新たな技術・知識を積極的に吸収し授業づくりに適用する〟などという新たな教師像をうちだし、「教師生涯」にわたって「継続的に新しい知識・技能を学び続け」よ、と急《せ》きたてているのが文科省・中教審なのである。

そのうえ文科省は、同時双方向通信システムや種々の感知機器を活用して一人ひとりの子どもの授業中の集中力、発言回数、内容などを数値化し教育データとして収集するだけでなく、教員の発言内容やファシリテート(司会)能力までも〝可視化〟し、ビッグデータとして収集・蓄積・評価することを研究している。まさにICT化によって労務管理を飛躍的に強化しようとしているのが政府・文科省にほかならないのだ。かくして教員は能力開発のための研修漬け、評価漬けにされ、膨大な業務を課され、労働強化と長時間労働をますます強制されようとしているのだ。

しかもこれからの教員には、AIのレコメンド(推奨)によって課題を与えられた子どもたちが、みずから興味・関心と探究心をもち「自律的」に学習するようになるための（教育者・指導者ではなく）「伴走者」たれ、「主体的・対話的で深い学び」のファシリテータ(司会役)たれ、というのがこの「答申」である。知識の付与も探究課題の設定もその課題の解決の道すじの解明もAIにやらせればいいというわけなのである。だが、AIが人間を教育することなどできるわけがない。逆にただ効率的な教え込みと詰め込みで大多数の子どもたちを疲弊させることにしかならないのは明らかである（独占資本の代弁人たる経済産業省は、人非人的にもこれを「学びの生産性の向上」などと称している）。文科省・中教審は、デジタル教材を使えば子どもたちは興味・関心をかきたてられ主体的・積極的に「深く自立した学び」に向かい、「人間性等」が高まるなどと考えているのだ。これは、子どもたちをパソコン・スマホ漬けにし電脳的疎外を深化させるだけではないか。しかも教育労働者を機械（ＡＩ）にコキ使われるだけの、よりいっそうの疎外に突き落とすものにほかならない。

政府・文科省は、こうした「教育のＩＣＴ化」の中心的施策として二〇二〇年度に四六〇〇億円もの国家資金を投入して「ＧＩＧＡスクール」構想を推進している。この学校特需に群がっているのが電機産業や、リクルートやベネッセなどの教育産業、さらにＮＴＴなどの情報通信産業の諸資本である。この「ＧＩＧＡスクール特需」は決して一時的なものではない。今後もタブレットや情報通信設備の周期的更新、新たなデジタル教材や授業支援アプリなどの開発、さらに日常的なメンテナンスや教員の〝指導〟のためのＩＣＴ専門員の学校への配置など、継続的なビジネスとなるのである。まさに、教育労働者を疲労困憊に追いこむ他方で独占資本にとっての巨大な利殖の場を提供しているのが政府・文科省にほかならない。

小学校低学年から〝パソコン・スマホ漬け〟の教育を強制

4　「ＩＣＴの有効な活用」を対置する既成指導部をのりこえ闘おう！

この「答申」にたいして日教組本部は、中教審の尻押しの姿勢に終始している。「個別最適な学び」は自己責任論に転化されかねない、とか「正解を求める教育、同調圧力に危惧は言っても具体的な対策がない」といった具合に「答申」に多少の修正を求めている以上ではないのだ。彼らは、「個別最適な学び」「協働的な学び」につらぬかれているブルジョア階級性を何ひとつ暴きだすことなく肯定したうえで、ＩＣＴ化に批判的意見や疑問をもつ組合員を欺瞞するためにほんの少しばかり批判めいたことを口にしているにすぎないのだ。彼らは「個別最適な学び」も「協働的な学び」も、推進すべきものと考えているのだ。そうであるがゆえに「ＧＩＧＡスクール構想」の実施によって以前にもまして長時間労働を強いられ疎外に突き落とされている組合員の怒りの声も封殺しているのが日教組本部にほかならない。

全教本部はどうか。彼らは「『個別最適化された学び』が『孤立した学び』に陥る危険性」を指摘してはいる。だが、それらは「『主体的・対話的で深い学び』が不可能になる」とか「ＡＩやＩＣＴ活用の推進により、現実の子どもたちの実態から出発した柔軟な授業づくりが困難となる危険性」があるといったものであり、中教審答申と同じ土俵でＡＩやＩＣＴの活用のしかたを競っているにすぎない。こうなるのは、全教本部が、「参加と共同の学校づくり」なる基本路線にのっとって、子どもたちのための有効なＩＣＴ活用のルールについて保護者や教職員さらに管理職や教育委員会などの「保守層」とも話し合うことを指針としているからである。だがこれでは、菅政権・文科省がブルジョアジーの要求に応えて現存教育を大再編し、教育労働者をさらに酷使しようとしていることを暴露することはまったくできない。まさに教育労働者を階級的に組織化することを完全に放棄しているのが全教本部なのだ。

文科省・中教審がうちだした「個別最適な学び」「協働的な学び」なるものは、資本家どもが熱望する「高度デジタル人材」を大量に育成し、かつ同時に大多数の生徒たちを国家と資本家に従順につきしたがう労働力の担い手として育てることを企図したものにほかならない。われわれは、このことを何ひとつ暴くことなく中教審の尻押しに終始する既成指導部をのりこえ、「令和の日本型教育の構築」という名の教育のネオ・ファシズム的再編に反対する闘いを創造するのでなければならない。長時間労働の強制と労働強化に反対する職場闘争をつくりだそう！

註1　Science 科学、Technology 技術、Engineering ものづくり、Art 芸術・人文、Mathematics 数学、の略称。普通科高校二年生時に理数系コースを選択する生徒は三割程度という現状に危機感をもつ文科省が、教育課程を「文理融合」教育中心に再編するためにうちだしたもの。「Art」には諸説あるが、「答申」では、基本的に経済・法律・社会・文化芸術など文系教科すべてを指すとされている。

註2　経団連や経済同友会は、このかん、優秀な子どもの成長を伸ばすために、履修主義・年齢主義を廃止して、飛び級を認めよ。修得できていないのに自動的に進級させる年齢主義は、授業についていけない子をつくるだけだから原級留置（＝留年）を認めよ、と提言してきた。今回の「答申」は、義務教育段階では、「年齢主義を基本に」「履修主義・修得主義を適切に組み合わせそれぞれの長所を取り入れる」べきだと曖昧な表現で、経済団体の提言を受け入れなかった。「原級留置」は「義務教育段階」では、「児童生徒への負の影響が大きい」「保護者等の理解が得られないから受け入れられにくい」と明確に否定した。（高校での留年は現になされているとして容認。）

註3　小学校高学年からの「教科担任制」の導入や、才能のある子どもに「学年や学校段階を超えて」学習させることを容易にする小中一貫の義務教育学校の設置の拡大、学習指導要領で定める「標準授業時間数」の「弾力化」などが提言されている。「答申」を受けて文科省はいち早く、「才能教育」の高度化を研究する有識者会議を設けるなど、イノベーションをもたらす人材の育成に必死となっている。

教科担任制について「答申」は、経済同友会などが提言してきた小学校高学年への教科担任制を二〇二二年度を目途に導入する、とした。専科指導の対象教科を現状でも多くの小学校で教科担任が指導している音楽、図画工作、家庭科、体育に加え今後、ＳＴＥＡＭ教育の充実に向けて外国語・理科・算数を対象とすることが考えられる、としている。

〔本誌掲載の関連論文〕

・「オリ・パラ教育」という名の愛国心教育　芙山　梗丞（第三一五号）

・教育労働者への一年単位の変形労働時間制適用反対！　蔵本　耕平（第三一一号）

パラリンピック「学校観戦」の強行弾劾

芙山梗丞

菅政権と東京都ほか二県（千葉、埼玉）の自治体当局は、パラリンピック東京大会の「学校連携観戦プログラム（学校観戦）」を強行実施した。全国的な感染爆発と医療崩壊が進むさなかのこの観戦行事の実施は、子どもたちと教職員をコロナウイルス感染の危険にさらす暴挙にほかならない。学校観戦の強行を断固弾劾しようではないか！

菅政権と連携する小池の都当局・教育委員会は、四区市（新宿区、渋谷区、杉並区、八王子市）において学校観戦を強行実施した。これらの区市では、二学期開始直後の学校と夏季休業中の学校が混在する業務の端境期にあたる二〇二一年八月二十八～二十九日の土曜日曜を含む観戦を無理やり強行したことによって、教職員は夏季休暇返上ないし休日出勤、そして長時間の拘束を強いられたのだ。しかも千葉市の中学校で学校観戦を引率した教員のコロナ感染が判明するなど、感染クラスター発生の危険が高まっており、教職員たちは子どもたちを感染から守るために奔走させられ・疲労困憊させられたのである。

だが政府、自治体当局、大会組織委員会などは「学校行事なのだから（感染や事故が発生した場合の）責任は校長や教員にある」などとして、全責任を学校現場に押しつけてパラ大会学校観戦を強行したのだ。

東京都のたたかう教育労働者は、菅政権と自治体当局によるこの学校観戦強行を阻止するために、各教組執行部を突き上げつつ様ざまな取り組みをくりひろげた。こうして各区市町村に次々と「観戦中止」を表明させ、参加自治体を四自治体にまで激減させたのだ。そしてこの闘いの過程で教育労働者の団結を打ち固めてきたのである。

学校観戦をゴリ押しした菅政権と小池都当局

全国で新型コロナ感染が爆発的に拡大している最中の八月十六日、政府と東京都、東京オリンピック・パラリンピック組織委員会、ＩＰＣ（国際パラリンピック委員会）の代表者による四者会談が開かれ、そこにおいてパラリンピック東京大会（八月二十四日～九月五日）を「無観客」で開催することが決定された。同時に、オリンピックでは感染拡大を理由に中止した「学校連携観戦プログラム」を、パラリンピックの競技会場のある一都三県で実施することが発表された（うち、静岡県は、参加希望校がゼロとなり中止となった）。東京都で一日五〇〇〇名以上の感染者を出しつづけているもとでのこの学校観戦の実施決定は狂気の沙汰である。まさに菅政権や小池都当局らは、「障害者理解」「共生・共助社会実現」という〝教育効果〟を最大限におしだして、一都三県の小中高校の児童生徒を強引に参加させようと目論んだのだ。

この決定を受けた八月十八日の東京都の臨時教育委員会では、「パラ大会学校観戦の実施」について、出席した四名の教育委員全員が「感染拡大」を理由に反対した。それにもかかわらず、東京都教育長・藤田裕司は、「学校観戦は協議事項ではない」「これは参考意見にすぎない」などと叫びたてて、「学校観戦の実施」をゴリ押し的に決定した。

実のところ、首相・菅義偉や都知事・小池百合子の指示を受けた藤田らは、オリンピック学校観戦を中止した七月の時点でパラ大会観戦を中止するとしていた各区市の決定を覆そうと躍起となっていた。都教委はこの臨時会以前に、都内各自治体に「意向調査」というかたちで圧力をかけ、八自治体(区市)に観戦参加を受け入れさせるとともに、小中学校で約一三万人、都立高校で二十三校約二〇〇〇人、十二会場といった「参加見込み数」をすでに算出していた。そして参加希望の自治体の首長(区長・市長)にたいして、学校長をつうじて保護者に「参加募集メール」を配信し八月十九日までに参加人数を確定するよう指示するなど学校観戦実現のための準備を着々と進めていたのだ。まさに東京都での学校観戦の実施は、菅や小池によって敷かれた既定路線だったのである。

学校現場や地域から「学校観戦を中止せよ」の声

東京都内では、この「パラ大会学校観戦の実施」が発表されるや、学校現場の教育労働者からはもちろん、東京都および各区市の医師会や保護者、市民団体からも猛然たる反対の声が上がった。東京都内でたたかう教育労働者たちは、ただちに教組本部を突き上げ、保護者や市民団体とともに、都教委・各地区教委に「パラ大会学校観戦の実施決定」にたいする抗議と、「学校観戦中止」の要請行動、署名活動を開始した。「子どもたちに感染の危険がある」「中止すべきだ」など、教育労働者や保護者は抗議の声を都教委や各地教委に集中させる取り組みを連続的におこなったのである。

こうして学校観戦を発表していた都内八自治体のうち、八月十八日に墨田区が、開会式当日の二十四日には江東区と江戸川区が、そして二十五日には港区が次々と中止を決定し、都内六十二区市町村のうち実施は四区市のみとなった。開会日の二十四日の時点では、東京都は当初予定の一三万人を大きく下回る「二万四三五三人が参加」と発表。さらに大会開催後も児童生徒の参加辞退が続出した。学校観戦参加を決めた四自治体においても複数の学校長が「観戦参加の希望調査」を拒否するなど、菅・小池による学校観戦の強行反対の声は急速に拡大し、児童生徒の参加実数は四区市で一一四校・九三三七人、都立学校六校・二三一人、合計九五六八人にまで減少したのだ。「パラ・学校観戦」を中止した墨田区教育委員会は、「オリンピック時よりも、都内の新規感染者数が増加・拡大している状況」であり「都から感染の防止への新たな対策が提示されないまま実施することは児童・生徒の安全が十分確保できない」と中止の理由を発表した。これは、教組などが都内各地で提出した要望書や抗議文の内容を基本的に受け容れたものにほかならない。こうして政府・小池都当局が強制した学校観戦の実施自治体数を大幅縮小に追いこんだのである。

学校現場への責任転嫁

パラリンピック大会開会直後の二十五日には、観戦を引率した千葉市の中学校の教員二名の「コロナウイルス感染」が判明した（この学校ではその他に四名の教員の感染が判明し、「クラスター」と認定された）。参加生徒十八名もPCR検査を実施することとなった。「パラ大会学校観戦」を積極的に推進した千葉県知事・熊谷俊人は、急きょ三十日に記者会見し「県全体として三十一日以降の学校観戦を中止する」と顔面蒼白で発表した。

にもかかわらず、この事態を、菅政権も東京・埼玉の知事も無視抹殺した。菅政権に指示された組織委員会事務総長の武藤敏郎は「会場で感染したのではないから組織委員会の責任ではない。問題は教育委員会だ」などと開き直り、責任逃れに終始した。この武藤は大会前の記者会見で、学校観戦で感染が発生した場合の責任について質問され、「最終判断は学校設置者と自治体」と傲然と答弁している。武藤は、引率教員や子どもにコロナ感染者が出ることは織りこみ済み・重々承知のうえで、その責任を校長、教職員、そして末端の地区教育委員会にあらかじめ押しつけるハラを隠そうともしなかったのだ。

そしてこの武藤の発言をなぞるかのように、学校観戦を強行したある区の教育委員会の学校観戦担当者は、「責任者は校長と引率教員になる」「教育課程外なので学校行事とはいえないが、一つの学校で子ども一〇〇人、引率教員十人も参加すれば、学校行事だ」などと言い放ったのだ。まさにパラ大会学校観戦は、トップの〝免責〟と学校現場への責任の押しつけを前提にして強行されたのだ。この政府、自治体、大会組織委員会などのデタラメぶりに、学校現場からの怒り・教育労働者の怒りは沸騰したのである。

教育労働者に休日の引率業務を強要した都教委

政府、都当局、組織委員会などのトップダウン方式の強権的でデタラメな進め方と無責任・無計画によって、いざ観戦を開始する段になると学校現場に矛盾が集中した。当初は都内四自治体の教育委員会は「すべて区の責任でやるので学校側がやることはない。希望する生徒は都が配車したバスで会場と学校を直行直帰する。教育委員会が全行程を統括する」と発表していた。だが、じっさいに学校観戦当日が迫るにつれて、都教委や地教委の準備の杜撰《ずさん》さが露呈し、結局四自治体の地教委は学校現場に観戦の業務のほとんどすべてを押しつけたのだ。

何よりも多くの区市が学校観戦を中止したことによって、いったんは参加を希望していた四自治体の児童生徒や保護者は当然にも観戦を躊躇《ちゅうちょ》し、参加希望数は二転三転することとなった。参加人数を確定できなくなった地教委は、何人の引率者が必要かも判断できず、結局学校現場に引率を押しつけたのだ。しかし八月末まで夏季休業中の学校も多く、連絡の取れない教職員が続出し、引率者を揃えることはきわめて困難であった。学校側は学校近辺に居住する教員に休暇中の予定変更を強制する〝総動員〟をかけた。さらに、遠足などでは義務づけられている「現地の実地踏査」も未実施という泥縄計画であったがゆえに、会場までの行程や会場内での感染対策および熱中症対策など健康安全面の対策がまったく不十分であったことも引率にあたる教員に大きな負担となった。しかも土曜日曜の観戦が急きょ決定されたことにより、教員に休日勤務（残業手当や休日勤務手当はなく、休日代替だけ）が強要され、夏季休業中の学校の教員は、休業中にもかかわらず休日がなくなるという事態までもが引き起こされたのである。まさに政府・都教委・地教委の杜撰きわまる計画のもと、子どもも教員も様ざまな危険を抱えたままこの学校観戦が強行されたのだ。

「共生・共助」教育の名による教育のネオ・ファシズム的再編を許すな！

菅政権が、「コロナ感染爆発」のなかで、「オリ・パラ学校観戦」に固執したのはなぜか。まず第一には今秋の衆議院選挙へ向け、オリ・パラの〝成功〟をみずからの成果として最大限に活用するためである。第二には、「パラリンピック大会」の意義や教育効果を宣伝し、スポンサーである企業およびＩＯＣの「五輪貴族」の利益やイメージアップに貢献するためである。そして第三に、政府が学校観戦を「オリンピック・パラリンピック教育」の集大成として位置づけてきたからである。

文部科学省や都教委は「オリ・パラ教育」で育成する重点資質として、①ボランティアマインド、②障害者理解、③スポーツ志向、④豊かな国際感覚、⑤日本人としての自覚と誇り、を掲げている。都教委発行の冊子『オリンピック・パラリンピック教育』では、国旗・国歌の意義や、諸外国と競い合う日本人選手の活躍を記載し、〝日本人としての自意識〟すなわち愛国心を涵養することを狙ってきた（本誌第三一五号の拙稿参照）。そして菅政権や小池都当局は、こうした愛国心の育成と同時に、パラ大会の「共生・共助社会の実現」「障害者理解」「多様性の尊重」といった〝大会精神〟に独自の「教育的価値」を見出してきたのだ。

だが菅政権がいう「共生・共助社会」「障害者理解」「多様性尊重」なるものは、きわめて反動的な内実のものである。それは、「障害を持っていたとしても、自分の努力によって能力を開発し成長できる」という考え方、すなわち菅が首相就任時から吹聴してきた「自助」の精神を、「共生・共助」「多様性」のオブラートで包んで子どもたちに付与し体得させようというものなのだ。（菅政権は、「オリ・パラ教育」においても「公助」については決して触れない。あくまでも「公助」抜きの自己努力を強制するとともに、家族・地域社会に障害者支援を押しつけることがネオ・ファシストたちの言う「共生・共助」の意味なのだ。）組織委員会会長の橋本聖子は、「障害者でも努力して成長できる、強く生きる力を学んでほしい」と、「パラ大会学校観戦」の意義を訴えている。同時にこのことはまた、文部科学省・中教審の言うところの「令和の日本型教育」に貫かれている能力主義教育に即したものなのだ。とりわけ少子化による労働力不足のもとで、何らかの障害をもっている子どもも将来の労働力とするための能力開発につとめる・自立の精神を植えつけること、さらに特異な才能と障害とをあわせもつ子どもを早期に発掘し、その能力を向上させることなどの、独占資本家の教育要求に応え、このパラリンピック大会の「教育効果」を最大限に活用しようとしたのが政府・文科省や小池都当局にほかならない。まさに

〝世界にうってでる日本人〟としての自覚をもち、「自助」や「自立」の精神をもって「国家・社会に貢献」するための能力向上に努め・困難に立ち向かい邁進する精神を、「パラリンピック教育」をつうじて育成しようというのだ。

菅政権は、まさにこのようなパラ大会独自の〝教育効果〟に固執してきたがゆえに、オリンピック開催時点よりも感染者数も病床逼迫度も格段に悪化している八月下旬においても、一都三県に指令してパラリンピック学校観戦をあくまでも強行したのだ。（パラリンピック大会の〝教育効果〟にかんして、東京都知事・小池だけでなく千葉・埼玉・静岡の三県の知事も記者会見で力説した。）

このパラ大会学校観戦の強行にたいして、日教組本部は一片の反対声明も抗議文も発することなく沈黙を決めこんでいた。全教本部は「観戦の押しつけ」や「子どものいのちと健康の危険」を問題にし、一応は「学校連携観戦中止」を訴えはした。だが「パラスポーツの意義」「共生・共助」「障害者理解」といったパラ大会の理念のブルジョア階級性をまったく暴けないがゆえに、現実にはマスコミの取材にたいして「現場が負担だ」「パラリンピック観戦の強要は、教育への介入だ」などとつぶやくだけで、何の反撃の闘いも組織しなかったのだ。

わが革命的・戦闘的労働者は、こうした既成指導部の闘争放棄をのりこえるかたちで、職場深部から「パラ大会学校観戦」の強行に反対する要請行動や署名活動にとりくんだ。そのただなかにおいて、土日勤務や超勤強要に反対する職場交渉をつうじて苦悩する青年労働者を組織化し、わがたたかうケルンを創造するために奮闘したのだ。われわれは「オリ・パラ教育の集大成」としてのパラリンピック学校観戦の強行を弾劾するとともに、今後も継続されようとしている「オリ・パラ教育」に反対しよう！　いまこそ教育のネオ・ファシズム的再編に断固反対する闘いを職場深部から創造するために奮闘しようではないか！

オリンピック開催強行——酷使されたバス運転労働者

南原　裕

菅政権がみずからの延命のために、広汎な反対の声を踏みにじって強行実施した東京オリンピック（二〇二一年七月二十三日〜八月八日）。これによって感染爆発は一気に加速し、いまや首都圏の自宅療養者が八万余名に達し、なんの治療も受けられずに死亡する人も相ついでいる。にもかかわらずこの医療崩壊を招いた責任を各自治体・医療機関に転嫁し、ワクチン接種がすすみ「光がみえた」などとほざいて、なおもパラリンピックを強行しているのがネオ・ファシスト菅義偉だ。この極反動政権を打倒するためにいまこそ全力でたたかおう！

無理な運行体制により心身ともに疲弊

いまバス職場では、東京オリンピック開催を強行した菅政権への怒りが渦巻いている。多くのバス運転労働者が、この五輪開催のためにかりだされ、いまもパラリンピックをささえるために徹底的にこき使われているからだ。

オリンピックが開かれているさなかに、オリンピック関係車両による事故がすでに八十件も発生していると報じられた（その後の事故の有無は明らかにされていない）。この多発する事故の原因を、「地方のバス運転士が都心に慣れていないから」とか「競技スケジュールに合わせるために無理な運転をしたから」とかと宣伝し、もっぱらバス運転労働者に責任をなすりつけているのが菅政権と大会組織委員会である。こんなことが許せるか！　すべては、コロナ感染爆発のなかでオリンピックを強行実施するために無茶苦茶なバス運行を強制し、バス労働者を酷使した菅政権のせいではないか。

コロナ感染症の全世界的なパンデミックのもとでオリンピックの強行に固執する菅政権は、「安心・安全な大会」を装うために、海外から来日する選手やスタッフばかりでなく海外メディア関係者をも含めた数万人について、宿泊先から試合会場などへの移動を公共交通機関を使わせずバスで輸送するいわゆる「バブル方式」を導入し、一台あたりの乗車人数も制限することを決定した。このことが、バス運転労働者への負担を一挙に増大させることになったのだ。

この「バブル方式」を実施するためには、当然、使用されるバスも莫大な台数となる。菅政権は全国から観光バスなどをかき集めて輸送させるために、観光バスの区域外営業を特例として認める措置をとるとともに、大会組織委員会にたいして「バブル方式」での輸送体制をつくることを指示し、これを受けて大会組織委員会はこの輸送体制の構築を、巨額の資金を投入して大手旅行会社三社（JTB、近畿日本ツーリスト、東武トップツアーズ）に丸投げした。こうして大手旅行三社が、地方のバス会社を含めて約六〇〇社ほどに輸送業務をわりふり、約二二〇〇台ほどのバスを確保したのであった。しかし、これだけの台数は会場周辺や築地市場跡地には駐車しきれない。この〝困難〟を打開するために、バス運転労働者へのさらなる負担増大などはおかまいなしに、競技会場への往路と復路を分割して運行する方式をとりいれるとともに、首都圏のバス会社についてはそれぞれの会社の営業所にバスを待機させるという方式をとることにしたのだ。

〔コロナ・パンデミックによってオリンピック開催が一年延期される前までは、オリンピックの車両運行については、二〇一九年に開催されたラグビー・ワールドカップをモデルケースにして構想されていた。ラグビー・ワールドカップでは、選手・スタッフなどの関係者は宿泊先から観光バスで、観客は鉄道の駅から路線バスに使用されている大型バスで、それぞれ会場に輸送した。そして、試合終了までバスを会場付近に待機させ、試合終了後、観客についてはまた駅へ、選手・スタッフは次の試合に備えた宿泊先へ輸送する、という方式がとられた。この方式を下敷きにしながら、しかしオリンピックはワールドカップよりも試合会場が桁違いに多い大規模イベントであることから、選手・スタッフを輸送する観光バスは会場周辺だけでなく築地市場跡地に、観客輸送のバスは各バス会社の営業所に、それぞれ待機させることが構想されていた。〕

「バブル方式」の体裁を維持することを基軸としたこうした無理な運行体制をとることによって、バス運行は当然にも大混乱となり、バス運転士への負担は激増したのである。

まず、選手・スタッフは今回新たに導入された配車アプリを使って事前に配車を予約し、これにもとづいて大会組織委員会（大手旅行会社）がバス運転士に配車を指示するという、主にデジタル機器による指示だけでバス運転士をコマのように動かす方式がとられたこと、これが大問題であった。

実際、バス労働者の現実を無視したかたちでの配車予定の変更が横行した。配車予定が前日のうちに変更されるならまだいい。配布されたタブレットと無線機をつうじて、当日になって「配車予定場所に一時間早く来てくれ」とか「二時間四十五分遅らせてくれ」とか「A会場ではなくB会場に行ってくれ」とかの指示が飛びかったのだ。近くで待機しているならまだしも、とりわけ自分の会社の営業所で待機していた労働者にとっては大変な事態だ。指示された配車場所までの距離、時間も考えると間に合わないこともあるからである。また、「会場に残された人がいるそうです。すぐに会場に戻ってください」などと、終着場所である宿泊先近くになってから試合会場に戻る指示がだされたりもした。これでは運転士はたまったものではないではないか。こんなことを連日やらされたら、地方から派遣されたバス労働者にかぎらず、心身ともに疲弊し事故をおこすことになるのも当り前なのだ。

〔配布されたタブレットも、はじめから立ちあがらないとか、時間が経つと運行経路などの指示画面が消えるとかの不具合が多発した。このタブレットの不具合による指示の混乱も、バス労働者たちをますます疲弊させる要因となった。〕

感染の危険きわまりない宿泊施設

菅政権が導入した「バブル方式」が生みだした問題はそれだけではない。地方のバス会社から派遣された運転士にとっては、宿泊施設がずさんきわまりないものであった。彼らの宿泊場所とされた「国立オリンピック記念青少年総合センター」はシャワールーム（風呂なし）、トイレ、洗面所を二十人で共用する、という感染の危険きわまりない施設であり、疲労の回復どころか、ますますストレスを溜めこまざるをえないところであった。菅政権・大会組織委員会は、宿泊場所としてホテルを確保することもなく、もともとは首都圏のバス運転士の待機場所としてしか考えられていなかった施設を、急きょ宿泊場所にきりかえたのだ。

また、不規則な労働時間も強制された。一番象徴的だったのは開会式でのバス輸送である。そもそもアメリカテレビ局の放映の都合にあわせて夜遅くに開かれた開会式は、当初の終了予定をオーバーして、午後十一時半まで続けられた。その後、選手は早い時間に帰村したが、スタッフやメディア関係者はそうはいかない。彼らの帰りの輸送を担当したバス運転士たちが各自の会社の営業所にたどり着いたのは、日の出の時刻近くであった。しかも、その日の夕方にはまた、試合会場からの関係者輸送に行かなければならなかった運転士たちも、かなりいたのだ。

このように、菅政権の「安心・安全の大会」を装うために徹底的に酷使されたバス労働者たちは、感染の危険にもさらされつづけた。海外から来日する選手・スタッフ・メディア関係者などを、感染の危険をおして輸送しなければならないにもかかわらず、バス運転士が要望したワクチン接種について、菅政権はまったく応じようとせず、ワクチン接種できずに輸送をになった運転士が大半なのだ。ＰＣＲ検査などもほとんどまともに実施されなかった。なにが「安心・安全のバブル方式」だ。

大手旅行会社・バス資本救済に狂奔した菅政権

菅政権はみずからの政権の延命のためにオリンピックを強行開催しただけではない。先に触れたように、大会組織委員会は大手旅行資本三社に輸送事業を丸投げし、この三社が全国のバス会社から運転士とバス車両をかき集め、築地に設置されたセンターでバス運行を指揮した。菅政権は「安心・安全のオリンピック」の体裁をとるために急きょ導入した「バブル方式」を、同時にコロナ・パンデミックによって収益が落ちこんだ大手旅行会社とバス資本を救済するために、巨額のオリンピック資金を投入することに活用したのだ。まさに五輪版「ＧｏＴｏトラベル」ではないか。

八月二十四日からパラリンピックが始まったが、運転士を酷使するバス輸送についてはなんら改善されてはいない。いや、試合会場が減少したことから、バス車両も減らしつつ、首都圏の公営交通や私鉄バス会社の運転士にはさらに過酷な労働が強いられている。

連日コロナ感染者が増加しつづけているにもかかわらず、感染対策を二の次にしてパラリンピックを強行する菅政権を許すな！　パンデミック下で困窮するバス労働者たちを疲弊のどん底に突き落とすことによって政権維持をはかる菅政権を弾劾せよ！　収益回復に血道をあげる大手旅行会社・公営交通当局・私鉄バス資本の長時間労働・労働強化の諸攻撃を粉砕するために、公営、私鉄のバス労働者たちは団結してたたかおう！

（二〇二一年八月二十五日）

「DX、新冷戦、脱炭素」への対応を政府に求める労働貴族

――JCメタル「21年政策・制度要求」批判――

角田草弥

自動車総連、電機連合、基幹労連、JAM、全電線の五産別労組でつくる金属労協（JCメタル）の指導部は、二〇二一年四月に策定した「二〇二一年政策・制度要求」の実現にむけて自民党と国民民主党を介して、政府省庁への要請活動を展開している。彼らは、政府が昨年十二月に閣議決定した「総合経済対策」を「グローバルな観点がまったく抜け落ちている」と批判しつつ、「DX〔デジタル・トランスフォーメーション〕」、新冷戦、カーボンニュートラル〔温室効果ガス排出量の実質ゼロ〕」に対応する「野心的」な成長戦略を策定せよ、と政府に要求している。金属産業の各企業がすすめている「デジタル化・脱炭素化・サプライチェーンの再編」にむけた事業構造の大再編を支援するために、巨額な国家資金の投入を政府に求めているのである。

この「二〇二一年政策・制度要求」からは、これまで彼らが主張してきた「わが国経済を、個人消費がリードし、底支えする強固なものに転換していく

ためには、民間労使が賃金・労働諸条件の引き上げを行っていくことが何よりも重要だ」という文言がスッポリと削られている。これは、独占資本家どもから「百年に一度の危機がわかっていない」(トヨタ自動車社長・豊田章男)と恫喝されて縮みあがってきた彼らが、これまでまがりなりにも継続してきた春闘での「ＪＣ共闘」を〝解散〟させることをうちだした(昨年九月のＪＣメタル定期大会)からであろう。ＪＣメタルとして賃上げ闘争を放棄することを資本家どもに誓約し、「政策・制度要求」では「賃金・労働諸条件の引き上げ」についての要求をいっさい口にしなくなったのだ。いまや彼らは〝欲しがりません、大変革に勝ち抜くまでは〟と言わんばかりの心情に陥っているのである。

しかも彼らは、「政策・制度要求」において「従業員重視・ステークホルダー(利害関係者)重視」をかかげて、傘下の労働組合員の意識を企業経営の「利害関係者」としての従業員意識へとつくりかえることを徹底しようとしている。ＪＣ労働貴族は、「わが国が迅速な経済再生を図るため」と称して「大変革」に対応するための産業構造・事業構造の大再編に協力する産業報国運動に組合員をかりだそうとしているのだ。

今回の「政策・制度要求」は、いま金属産業の大手企業で吹き荒れている事業構造の再編と、それにともなう労働者への解雇・配転・転籍・出向の強要に、彼らが積極的に協力加担していくことを宣言したものにほかならない。われわれは、独占資本家どもの生き残りのためにより一層の犠牲を組合員である労働者に強要する労働貴族どもの新たな策動を絶対に許してはならない。

Ⅰ　巨額な国家資金の投入による企業支援を要求

いま世界は、没落帝国主義アメリカと「市場社会主義」中国との軍事的・政治的・経済的な激突を基軸として、各国がグローバルな規模でかつ宇宙・サイバー空間にもおよんで角逐を激化させ、戦争的危機を深めている。各国の企業経営者たちは、「ポスト・コロナ」を展望しつつ、「脱炭素化」と「経済・社会のデジタル化」にいち早く対応して覇者となるべく、技術開発や産業構造の転換、生産体制・サプライチェーンの再構築などをめぐって競争を激化させている。

日本の金属産業の独占資本家どもも、この「百年に一度」ともいわれている巨大な荒波にこれ以上の り遅れるならば、決定的な敗者となりかねないと焦燥感に駆られているのだ。彼らは、米・中・欧の諸企業から「経済・社会のデジタル化」で水をあけられたうえに、「SDGs〔持続可能な開発目標〕」をかかげた「脱炭素化」などの新技術開発競争でも出遅れているがゆえに、各企業での大リストラクチャリングに突進しているのである。

このような独占資本家どもの危機感を完全にわがものとして、「遅れが浮き彫りとなっているDXの全面的かつ迅速な推進」・「長期化が想定されている新冷戦への対応」・「二〇五〇年カーボンニュートラルの実現」を火急の課題ととらえ、その対策を早期に講じるべきことを菅政権に要求したのが、JCメタルの「二〇二一年政策・制度要求」にほかならない。

今年の「政策・制度要求」は、六つの柱(「Ⅰ 成長戦略」、「Ⅱ マクロ経済政策」、「Ⅲ DX政策」、「Ⅳ カーボンニュートラル政策」、「Ⅴ バリューチェーン政策」、「Ⅵ 国際労働政策」)によって構成されている。

これを策定するにあたってのJC労働貴族の問題意識は、表題に「わが国の命運を握る科学技術課題の開発促進、長期的利益・持続的発展を追求する企業行動と『人への投資』の促進」をかかげた「Ⅰ 成長戦略」の冒頭に示されている。「わが国産業・企業は、こうした大変革に積極的に対応していくことにより、成長力を高め、競争力を強化していかなければなりません」と。彼らは、金属産業・企業の生き残りを第一義とし、これを実現するための産業政策を「政策・制度要求」の前面に押しだしているのである。

その他面において彼らは、これまでは形ばかりとはいえ強調してきた「働く者の観点」を大きく後景化させている。これまで彼らは〈基本的考え方〉を「政策・制度要求」の冒頭に記載し、そのなかで「金属労協は従来から、『民間・ものづくり・金属産業』に働く者の観点に立って、政策・制度課題に取り組んできた」と一応はかかげてきた。その〈基本的考え方〉それ自体をそっくり削除してしまっているのだ。

川崎市のＪＦＥスチールの高炉。資本家は「ゼロカーボン製鉄」の技術開発に５兆円もの資金を政府に要求し、労働者には大リストラを強制

　そればかりではない。彼らが「賃金・労働諸条件の改善」要求を粉飾するために労働政策としてかかげてきた「『良質な雇用』の確立」なるもの（「ヒューマンな長期安定雇用」を基本として金属産業の労働者にふさわしい賃金・労働諸条件の実現をめざす、というそれ）をも、〈要求項目〉から削除している（「国際労働政策」としてうちだした「国内外における『良質な雇用』の創出」は、海外の労使紛争解決や外国人技能実習制度などに〝限定〟されている）。それは彼らが「活動と組織の改革」の名のもとに〝「政策・制度要求」では国際労働政策に絞りこみ、春闘などは各産別でとりくんでいく〟として、春闘での「ＪＣ共闘」を「連合・金属共闘連絡会議」に合流・一体化させ〝解散〟することをうちだしているからにちがいない。まさにＪＣ労働貴族は、今回の「政策・制度要求」において、ＪＣメタルとしては賃金・労働諸条件にかんする闘争をいっさい放棄することを明確にしたのだ（註）。

　ところで、今回の「政策・制度要求」でかかげた「成長戦略」の項において、彼らは「ＤＸ、新冷戦、カーボンニュートラルなど、研究開発投資や設備投資を拡大しなければならない要因が山積している」と焦燥感をあらわにしている。「新冷戦は本来、わが国製造業にとって大きなチャンス」であるのに、〝多くの日本企業では、いまだ中長期戦略がえがけず、企業の投資姿勢が慎重なものになっている〟と危機感を強調している。そして彼らは、「実学の観点に立った基礎研究とそれを基盤とした新技術・イノベーション創出に対する政策的支援」を、とりわけ産業・企業の「潜在的な成長力を高めるため」の政府による「投資支援策」をこそ、すなわち産業・企業の「投資意欲を引き出す」ためにこそ巨額の国家資金を投入すべきだ、と資本家階級の意を汲んで声高に要求しているのだ。

もちろん、トヨタ自動車や日立製作所や日本製鉄などをはじめとしてわが国金属産業の大手企業は、「デジタル化」「脱炭素化」にむけて巨額の資金を投入して事業構造の大再編や新技術の研究開発にとりくんでいる。だが、米・欧・中の各国が膨大な国家予算を産業支援策に投じているのに比して、日本政府の支援額は桁違いに少ないと日本独占資本家どもは不満を募らせている（最先端半導体の開発・生産支援のために投じる国費が中国の一〇兆円、アメリカの四兆円に比して日本は二〇〇〇億円の基金分にすぎないことなど）。この資本家どもの意を体してＪＣメタル指導部は、「ＤＸ、新冷戦、カーボンニュートラル」対応の投資を企業経営者に促すために、「技術開発から実証・社会実装まで一気通貫で支援する」ような「支援策、環境整備を強力に進める」ことや、「企業における若手研究者の育成の支援」を政府に求めているのだ。

たとえば日本製鉄の資本家どもは、「水素還元製鉄（ゼロカーボン製鉄）」にむけて五兆円もの設備投資を計画しているのであるが、いまだ未確立であるその技術諸形態の開発などへの国家資金の投入を要求している。まさに日本企業が米・中・欧の諸企業に対抗し・生き残っていくために巨額な国家資金を投入せよ、と声高に唱和しているのが、ＪＣメタル労働貴族なのだ。〔労働貴族は、「脱炭素化のためには原発が不可欠」と称して停止中原発の再稼働・新増設の推進や原子力技術者の育成支援を要求してもいる（『解放』第二六七三号「トピックス」参照）。〕

Ⅱ　「利益構造の転換」に向け大リストラ促進の旗振り

同時にＪＣメタルの指導部は、「政策・制度要求」のなかで金属産業・企業の労使にむかって、「分配構造の転換を通じた企業の利益構造の転換」を図っていくべきだとして、「高付加価値・高利益・高賃金のビジネスモデルへの転換」を提唱している。これまでのような「低賃金・低生産性」のビジネスモデルによっては、「ＤＸ、新冷戦、カーボンニュートラルという大変革の嵐の中で、高利益の要となる差別化戦略を進め、国際競争力を強化して、付加価値を増大させることなどとうてい不可能です」と称して。

彼ら労働貴族は、二〇一八年のＯＥＣＤ（経済協力開発機構）資料をもとにして主要先進国の製造業における「付加価値生産性と労働分配率の国際比較」のグラフをかかげ、「ドイツ、フランスが高賃金・高生産性となっているのに対し、日本は生産性が相対的に低く、人件費水準はそれ以上に低い状況にあります」などと強調して、「高賃金・高生産性」のドイツ・フランスのモデルを目指すべきであるという。彼らは、「大変革の嵐」を勝ちぬき、産業・企業の「高付加価値・高利益」を実現するためには、研究開発投資や設備投資を飛躍的に拡大するとともに、必要な「人材」を確保・育成するために米・中・欧の諸企業に劣らない「高賃金」をもって処遇すべきことを提言している。これをＪＣメタル指導部は「供給面からのアプローチ」などと称しているのである。〔それは、その他大多数の労働者のギグワーカーなどの低賃金・非正規の労働者への置き換えをさらに拡大することを容認するものだ！〕

もちろん彼らは、これまでと同様に「成果の公正な分配」と言ってはいる。だがそれは、あくまでも「供給面からのアプローチ」、すなわち生産性を向上させるための「高度人材」の確保やモチベーション向上策として賃金や教育費などの人件費を――「人への投資」と称して――位置づけるものであり、労働者の生活向上のためでは決してないのである。〔これまで強調していた「需要（個人消費）の拡大」による「企業の投資意欲の改善」という方策については、これを「需要面からのアプローチ」と称して後景化している。〕

いま自動車産業では、グローバルな「ＥＶ（電気自動車）開発競争」の推進にともなって、サプライチェーンの大再編が進められることによって多くの中小・零細企業が倒産・廃業においこまれ、「（自動車関連）五五〇万人の労働者の多くが路頭に迷う」ともいわれている。電機産業の諸企業は、アメリカ政府による「経済安保」という名の中国封じ込め政策に呼応した菅政権の企業支援策をも新たな商機ととらえて、「脱炭素化」や「デジタル化」にむけたドラスティックな事業構造の転換をすすめ、余剰とみなした労働者に異職種へのスキルチェンジを強要しつつ、それに対応できない労働者への首切り・転籍・出向などの攻撃を強行している。さらに鉄鋼産業の独占体は、〝カーボンニュートラルへの対応で、万が一にも中国に後れを取るならば、日本の鉄鋼産業は生き残れない〟などと危機感をたかぶらせて、高炉の休止をふくむ画歴史的な事業構造の大再編をすすめ、多くの労働者に遠隔地配転を強制している。ＪＣメタル指導部は、これらの大リストラを「高付加価値・高利益・高賃金のビジネスモデルへの転換」を図っていくものとして評価し、「全面的かつ迅速に」推進していくべきだと独占資本家に呼応して旗を振っているのである。

Ⅲ 「従業員重視・ステークホルダー重視経営」の反労働者性

ところで、ＪＣメタルの指導部は、この「分配構造の転換」を主張する際に、「従業員重視・ステークホルダー重視による高付加価値・高利益・高賃金のビジネスモデルへの転換」というように、「従業員・ステークホルダー」を重視すべきことを強調している。アメリカの経営者団体であるビジネス・ラウンドテーブルの「企業の目的に関する声明」やダボス会議の「ダボス・マニフェスト二〇二〇」などをもちだし、「株主利益第一主義」ではない「従業員重視・ステークホルダー重視」の企業経営なるものを押しだしている。独占資本家どもの提唱する企業経営理念を受け入れそれを論拠にして、「高付加価値・高利益・高賃金のビジネスモデルへの転換」を基礎づけているのだ。このことの反労働者性はどこにあるのか。

彼らは、「従業員重視」と言うことによって、あたかも組合員である労働者の利害をつらぬく立場に立っているかのように装っている。だがそれは、「ステークホルダーに付加価値がどのように配分されるか」というようにして、資本家的経営者も株主も労働者も等しく企業経営における〝利害関係者である〟とみなし、「付加価値の配分」の「公正」さを問題にしているにすぎない。

彼らの問題意識は、「わが国産業・企業が、大変革に積極的に対応して、成長力を高め、競争力を強化していく」ことにある。彼らは、組合員である労働者の意識を企業経営における「利害関係者」としての従業員の意識へとつくりかえることを徹底することによって「高付加価値・高利益」に貢献する職務遂行へと傘下の組合員を駆りたてていく、そのために「従業員重視・ステークホルダー重視経営」なるものを主張しているのである。

しかも彼らは、「従業員重視・ステークホルダー重視経営を実践していくため」などと称して、企業経営者に「ＣＳＲ（企業の社会的責任）会計」（「付加価値」を従業員・役員・株主・地域住民・内部留保・その他にどのように配分したかを算出するそれ）を公表させ、それを活用していくことを方針としてうちだしている。彼らは、企業経営者に「ＣＳＲ会計」を公表させ、それを〝市場での評価〟にさらすことによって、あたかも従業員への「付加価値の増大に見合った公正な成果配分」が実現されるかのように主張しているのだ。彼らはそれを、「生産性運動三原則に基づく『成果の公正な分配』」として、賃金改善を追求していくものとして押しだしているのである。だがそれは、「賃金を、その本質である労働力商品の価値から完全に切り離して、ただ『労働の対価』または『労働の価格』としてとらえ、したがって賃金を費用価格（賃金コスト）とみなす資本家とまったく同じ土俵において、一定の生産期間につくりだされた『付加価値』を資本家と労働者とが分けあう、という考え方（いわゆる『パイの分け前分としての賃金』という〝思想〟）」（黒田寛一『賃金論入門』こぶし書房刊、一四四頁）であって、資本家による労働者の搾取を隠蔽する反労働者的な虚偽のイデオロギーなのである。

　もちろん彼ら労働貴族は、すでに「パイの分け前をめぐって労使で対立する」というような考え方さえも否定して、独占資本家どもと同様に賃上げを「人への投資」と称して「労働者のモチベーション向上のための配分」と意義づけ、経営者による人事考課（「仕事・役割・貢献度」を評価基準としたそれ）にもとづく賃金支払い形態の導入に協力してきた。彼らは、階級協調主義のゆえに組合員である労働者は企業に雇い入れられているのだということ、したがって経営者（資本家）のもとにつくりだされてある労働組織・労務管理機構に編みこまれ管理者の指揮監督のもとで疎外労働を強制されていることを完全に無視抹殺して、組合員を企業経営における「利害関係者」の一員である従業員というようにのみとらえているのである。

　こうして組合員である労働者の意識が企業経営における「利害関係者」としての従業員の意識につくり変えられた労働組合は、生産性向上運動を推進する従業員の組織として企業組織体に編みこまれ、「経営を審議する」と称して企業経営者から経営計画や経営状況の説明をうけ、それを組合員に周知徹底するだけのものへと完全に変質させられてしまうのである。すでに労働貴族どもは、基幹労連の大手企業労組などにおける賃金・労働諸条件の改善にむけた取り組みでは、「団体（労使）交渉」を〝労使協議で解決できないときに限りおこなう〟とシバリをかけて放棄し、「労使協議会」での協議重視へと転換している。しかも今日では、〝会社経営や労使課題についての意思疎通をはかる〟と称して、企業経営者からの「説明事項」のみを審議する「労使経営審議会」なるものを定例化して、「労使協議会」

での協議さえも形骸化させているのだ。

ＪＣメタルの労働貴族どもは「大変革を勝ち抜いて事業の継続と企業の持続的発展を図り、日本経済を早期に再生する」ことが、労働者の諸利害に合致すると観念している。それゆえに彼らは、「ステークホルダー」論という虚偽のイデオロギーをふりまいて、「付加価値の増大」にむけて労働者を生産性向上へと駆りたてている。資本家の〃アメとムチ〃によっては決して止揚することができない労働現場における労働の「疎外性」を、「自己実現」とか「社会的な貢献」とか「働きがい」とかの〃聞こえの良い〃コトバをつかって覆いかくしながら。

われわれ革命的労働者は、新型コロナ感染拡大のもとにおいて生活苦と過酷な疎外労働に苦悩し呻吟している労働者たちに、いまこそみずからを階級的に自己組織化し団結してたたかうべきことを呼びかけようではないか。われわれは、労働貴族どもによって歪められ死滅させられようとしている金属産業労働運動の脱構築をめざして、ＪＣメタル「二〇二一年政策・制度要求」の反労働者性を暴きだすイデオロギー的＝組織的闘いを強化していくのでなければならない。

註　金属労協指導部は、昨年の五十九回定期大会において、二〇二四年度を目標として「金属労協としての重点活動」を、①国際労働運動にかかわる取り組みと、②（労働運動の）人材育成の取り組みに絞りこみ、「春季生活闘争、産業政策、労働政策などの活動は、順次整理して将来的には連合や産別に移行する」という「活動と組織の改革」を提起した。事務局長・浅沼弘一は、より具体的に〃春闘や最低賃金の取り組みは連合の金属部門に移し、労働政策全般は産別がとりくむ〃との考えを示している。

〔本誌掲載の関連論文〕

- トヨタ二一春闘　企業生き残り策をめぐる労使協議の反労働者性　西岡　剛（第三一四号）
- 電機春闘の低額妥結弾劾！　狩野　勝（同）
- ＪＣＭ春闘「企業の持続的発展」のための労使協議に解消する労働貴族　保志一鉄（第三一三号）
- 日鉄資本の鉄鋼労働者一万人削減反対！　笠岡丸洋（同）

電機連合第六十九回定期大会

〝電機産業発展のための労働運動〟を呼号

野咲あずみ

「デジタル化・脱炭素化」対応支援・「人材育成」の大合唱

昨二〇二〇年に引き続きリモートで開催された電機連合第六十九回定期大会（七月五日）は、〝いま電機産業が直面している「デジタル化・脱炭素化・サプライチェーンの強靱化」などの課題に、電機連合がいかに対応していくか〟という問題意識一色に染めあげられた。

神保指導部は、「二〇二〇・二〇二一年度運動方針の補強」案において、従来の「デジタル社会を支える基盤整備」などの重要項目に「脱炭素社会の実現」と「グローバルな事業環境の改善」（米中対立下での「サプライチェーンの強靱化」と「必要不可欠な産業・人材の国内維持・発展」を核心とするそれ）を新たに加えた「政策・制度要求」（六月策定）の実現を強調した。それとともに、「妥結の柔軟性」と称して各社の経営戦略・「人材戦略」にもとづく

「賃上げ」のバラツキを容認した二一春闘の妥結結果について「電機産業労使の社会的役割を果たした」と強弁しつつ「統一闘争の強化」を提起した。

しかも彼らは、「一人ひとりが輝く持続可能な社会をめざして〜新潮流と多様性を成長の糧に〜」をスローガンとする新「中期運動方針」を提起し、「ウイズ・アフターコロナ社会」と熾烈化するグローバル競争にふまえた労働運動のあり方なるものをうちだした。この中期運動方針の提起にあたり電機連合委員長・神保政史は〝コロナ禍によって価値観は大きく変化した。変化を嘆くのではなく、意識を高め・変化に対応する新しい行動様式をつくりあげる〟と言い放ち、〝従来の組合運動からの転換〟をおしだしたのだ。

これに呼応して大手企業労組の代議員は、「ＡＩ（人工知能）や量子コンピュータなどの先端技術分野のデジタル人材の確保と育成は、（中期運動方針に沿ったものであり）電機産業労使の共通の課題であるから、産別労使で協議を始めてはどうか」（ＮＥＣグループ連合）とか、「ＤＸ（デジタル・トランスフォーメーション）による新しい付加価値の創出と変革が産業の持続的成長のカギ」（三菱電機労連）とかと発言した。この輩どもは電機独占資本家どもが喚いている「デジタル人材の確保・育成」をめぐる労使協議を労働運動の中心課題とすべきだと主張したのであり、これにたいする答弁として電機連合指導部も「基幹人材の確保は産業の成長に欠かせない。産官学が連携してとりくむ」と強調したのだ。

しかも神保指導部は、組織内国会議員が「提案型で偏らない立ち位置に共感し、国民民主党を選択したことは間違っていなかった」と強調し、「脱炭素社会の実現」などの電機産業振興策としての「政策・制度要求」を実現するために組織内議員の重要性をアピールした。各代議員もまた「組合員に政治活動の重要性」を訴え、組織内議員を国会に送りだす「国政選挙」活動に全力をつくすと決意表明をおこなったのだ（パナソニックグループ労連、日立グループ連合）。彼ら労働貴族は、今大会終了直後に、その場を現職国会議員である衆議院議員候補・浅野哲（日立労組出身）と参議院議員候補・矢田稚子（パナソニック労組出身)の「決起集会」に切り替え、二人の出身組織の組合員をも動員するかたちでこの「集会」を開催したのである。

このように電機連合指導部は今大会において、「ウイズ・アフターコロナ社会を見据えた労働組合の運動構築」という名のもとに、「デジタル化・脱炭素化」のための諸施策に狂奔する電機独占資本家どもの意を体して、事業構造・産業構造の転換を支える「人材」となるべきことを組合員に号令することと、政府に「電機産業の発展」を支える産業政策の採用を求めることを運動方針の基軸としてうちだしたのだ。

ここでは、こうした運動方針にあらわれている電機連合労働貴族どもの反労働者性を暴きだしていきたい。

「労働運動の一大転換」の呼号
――中期運動方針

労働貴族は「中期運動方針」の提起にあたり、〝コロナ禍を電機労使でのりこえてきた〟という自負を表明し、今後は〝これらを教訓としたニューノーマル(新常態)における「持続可能な労働運動」の創造をめざす〟ことを掲げた。そのスローガンが「新潮流と多様性を成長の糧に」というものである。

今、コロナ・パンデミックを機に一気にすすんでいるいわゆる「社会・経済のデジタル化」と、コロナ不況から脱却するために各国政府がとりくんでいる「脱炭素化」とをめぐる国際競争が、いよいよ激化している。そのただ中において電機独占資本家どもは、事業再編のための人員削減やリモートワークの導入・拡大、IT人材を確保するための「キャリア転換」やジョブ型雇用制度の導入などの労務政策を、「価値観・働き方・勤務形態・雇用形態」などの「多様化」の名のもとに貫徹している。

このような独占資本家どもの経営・労務政策を「新潮流と多様性」の名のもとに受け入れ、その実現に協力するために「新潮流と多様性を〔労働者の〕成長の糧に〔つなげる〕」と称して組合員である労働者にみずから技術・技能・知識を習得するよう に促すことを「労働運動の一大転換」と意義づけているのが電機連合の労働貴族なのだ。これこそが日本の電機産業・企業の生き残り策であると考えている彼らは、これを「持続可能な社会」を実現する「電機労使の社会的使命」なのだとおしだし正当化してもいるのだ。

そのために彼らは、中期運動方針において「求められる人材像の変化、多様な雇用形態、雇用流動化、次世代処遇への対応」などの十四の課題を列挙し、〝労働運動の大変革〟を唱えているのである。(註)

彼ら労働貴族は、「産業構造の変化」にともない「求められる人材像」も変化すると称して、組合員に「自社の求める人材像の変化を自覚し、求められるスキルは何か」を考え、「意識変革、キャリア転換」せよと迫っている。AIやロボットの発達によっていわゆる「定型的業務」とみなされているような業務が減る一方で、労働者にはAIやロボットを使いこなして〝人間にしかできない創造的な仕事〟をすることが求められている、「スキルチェンジせよ」と叫んでいる。しかも彼らは、「産業の枠を越えた雇用の流動化への対応」などと称して、新たな事業に対応した技術・知識をもった労働者を必要なときに企業・産業の枠を越えて獲得し、〝不必要〟とみなした労働者には他社・他産業への転職を促すこと（つまり首切りだ！）をもくろむ経営者どもの施策を容認し、これを組合員にスムースに受け入れさせようとしている。労働貴族は、組合員が（職務転換・転職に備えて）〝生涯・最適なキャリアを実現するためのスキルを磨きつづける〟方法を支援することが労組の任務だ、としているのだ。

電機独占体の経営者は今、「DX」企業としての生き残りを賭けて、企業の売却・買収や他社との新たな資本統合を進めるなど事業組織再編を遂行し、そのために労働者には（部門や部署丸ごと）別会社に当面は出向させ、その後転籍させるなどの攻撃をしかけている。また経営者による「リスキリング（学び直し）」と称する〝キャリア転換研修〟が選別的・強制的に実施されてもいる。こうした〝施策〟を労働貴族は「成長分野への労働移動」とか「雇用の流動化への対応」とかと称して容認し、労働者にむかっては〝自己実現〟可能な「価値観の転換・新しい行動様式」として捉えよ、と説教しているのだ。

また彼らは今後、企業が〝仕事の内容や勤務地・勤務時間を限定する「ジョブ型」雇用形態や兼業・副業・起業・フリーランス〟などの「多様な働き方」をますます活用することを支えるために、こうした「労働市場の変化」にふさわしい「人事・処遇制度」を「公正な個別賃金決定」を原則とした「次世代処遇制度」の確立と称して経営者と協議していくことを考えている。これらにとって足枷となる現行労働法を、「法的環境整備」の名のもとに抜本的に変えることを政府に要請しようとしてもいるのだ。

労働貴族は、〝どんな雇用形態であろうと労組は支援する〟と言う。だがそれは、〝中途採用・職務転換しても不利にならない〟「人事・賃金」制度の整備や〝生涯スキルを磨きつづける〟ための支援プログラムの提供でしかない。彼らは、これらによって労働者が多様な雇用機会・多様な働き方を選ぶことができるかのようにバラ色に描きだし、「一人ひとりが輝く持続可能な社会」を創る新しい労働運動などと意味付与しているのだ。労働貴族は、企業が増やそうとしている「多様な雇用形態」の労働者の不満を抑えこみ・企業のために働くように統制するために、彼ら（の一部）を組合員に組織化することを検討してもいる。だが、このような労働運動は、形骸化してきたとはいえ「賃金改善・底上げ・公正処遇」を掲げてきた「労働条件改善闘争」を完全に骨抜き化し投げ捨て、組合員を従業員として生産性向上運動に献身させる反労働者的なものである。

〝莫大な国家資金投入〟を叫ぶ「政策・制度要求」

電機連合指導部は、政府が昨年決定した「グリーン成長戦略」について〝企業支援が他国に比して不十分だ〟と強い不満を示し、「脱炭素社会の実現」「サプライチェーンの強靭化」を核心とする「グローバルな事業環境の改善」を新たに加えた「政策

・制度要求」を掲げ、この実現をめざすことを「補強」方針で提起した。彼らは、「コロナ禍で落ちこんだ日本経済の回復」を「電機産業の発展」をもって実現すると謳いあげ、そのために産業構造の転換・新技術の開発・人材育成などに莫大な国家資金を投入するように政府に強く求めたのだ。

とりわけ彼ら労働貴族は、菅政権の「カーボンニュートラル（CN）二〇五〇」（温室効果ガス排出量の実質ゼロ）の実現計画において原発の再稼働・新増設を明示しなかったことに〝異議〟を唱えている。彼らは、菅政権の「CN二〇五〇」の実現およびその過程にあたる「CN二〇三〇」の実現にとって「休止中のすべての原発の再稼働が不可欠」であると叫んでいる。これは、二〇三〇年度時点の電源構成に占める原発の比率を二〇～二二％とする計画の実現には二十七基すべての再稼働が不可欠であり、五〇年度に向けては〝原子力発電の電力比率を明確にし、原発の新増設を「国民的な合意」として形成せよ〟というものなのである。

また「次世代原子炉」の開発を叫び、「放射性廃棄物の処理方法」の研究、その「技術的・人的支援策」を国がやるべきだと要求している。原発関連独占体が、「原発の新増設・建替」を明言しない政府に業を煮やし、三〇年度までに「十二基の原発でプルサーマルを実現」せよ、「高速原子炉」や「小型モジュール炉」の開発と実証・実装実験をせよ、「高温ガス炉による水素製造」技術を確立せよなどと要望していることを労働貴族は後押ししているのだ。それは同時に、いまだに収束を見通せないでいる福島原発事故・核惨事をいっさい顧みることなく、政府・権力者どもの〝「エネルギー安全保障」と「核兵器開発能力保持」のための原発開発〟に与することを意味する。断じて許してはならない。

しかも彼ら労働貴族は、コロナ・パンデミックと米中対立によって「サプライチェーンの脆弱性」が露わとなったと危機意識を嵩じさせつつ、これを日本の電機産業が国際競争のなかで生き残るためのチャンスに転じるべく、中国に依存しない「強靭なサプライチェーン」の構築によって「グローバルな事業環境」をつくれ、「米中対立への対応策をパッケージ」として示せ、と政府に要求・提言をしている。とりわけ先端ロジック半導体をめぐっては、アメリカが「経済安保」を掲げて中国（および台湾）に依存しないサプライチェーンの構築にのりだし、これに対抗して中国も最先端半導体・製造装置の国内生産に血道をあげている。こうした各国が激烈化させている生産拠点の誘致合戦に乗り遅れるなと言わんばかりに、「国内・国外資本を問わず日本国内に貢献する半導体産業をつくれ」と提言しているのだ。労働貴族は、〝経済安保の観点から米中間での研究開発・製造基盤強化の競争が激化しているなかで、アメリカは四兆円、中国は一〇兆円規模の国費を投じて「自国の生産基盤の囲い込み政策」を採っているのに比して、日本はわずか二〇〇〇億円の基金で桁が異なる〟と不満をぶちまけ、〝もっと国内誘致・補助金の拠出・最先端技術や人材の漏洩防止策などをパッケージにした国家戦略を明確にせよ、国家は膨大な国費を投入せよ〟と電機独占資本家どもの先兵として政府に迫っているのだ。

まさに労働貴族は、電機独占資本家どもが採っている「脱炭素化・デジタル化」対応の経営諸施策をわがものとして捉え、電機産業への振興支援策を電機連合の「政策・制度要求」として提言している。それと同時に彼らは、こうした「政策・制度要求」の実現を「電機産業を発展させ、組合員の雇用の確保と創出、労働条件維持向上に重要です」とか、「地球温暖化対策」や「社会のデジタル化」という社会的課題を解決するものであり「社会への貢献につながる」とかと意義づけ、もって組合員を「政策・制度要求」を実現するための組織内候補の選挙運動に動員している。ここに貫かれているイデオロギーはまさに、階級協調主義にもとづく「労使政運命共同体」思想にほかならない。

「産別統一闘争のさらなる強化」の呼号
——欺瞞的な21春闘総括

委員長・神保は大会あいさつにおいて「〔二一春闘では〕要求の趣旨に沿った回答を得た」「この結

果は闘争の相場形成に寄与するとともに、電機産業労使の社会的役割を果たす強いメッセージを社会と組合員へ発信できた」などと自画自賛した。だが、わずか「賃金水準改善額二〇〇〇円以上」の要求にたいして「一〇〇〇円」の超低額回答であり、しかも福利厚生ポイント分などを含めた各社バラバラなものであった。すなわち彼らは、このバラバラな妥結額を「水準の柔軟性」と称して認め、「福利厚生費や研修費、年金掛金」などの「賃金と類似性があるもの」を「項目の柔軟性」の名のもとに認めることをもって「一〇〇〇円」という「賃上げ相場」の仮象をとりつくろったにすぎない。ところが、このことを彼らは「統一闘争の波及効果」だと強弁し、傘下労組が相互に「違いを認め合う」ことの意義なるものを強調したのだ。これは超低額の賃上げ要求に抑えこむ電機連合指導部・大企業労組指導部への不満を強めている組合員とりわけ中小企業労組の組合員を懐柔するための詐欺的な「賃上げ相場」の仮象づくりであって、これをもって「統一闘争の進化」などと強弁するのは、労働者を騙す詭弁でしかない。彼ら労働貴族は、電機産業発展のための「産別労使協議」(統一交渉)を継続することを第一義として「統一闘争の強化」＝継続を謳っているにすぎないのだ。

われわれは、こうして「統一闘争の強化」を標榜しつつ賃金闘争を事実上放棄した労働貴族を断じて許してはならない。

今日版産業報国運動への一層の変質

電機連合指導部は、大会発言でも「補強」方針でも「組織強化」「組織力の向上」を声高に叫び、「組合員の共感を得る」組合運動なるものをことさら強調した。それは、〝雇用と生活を守る〟はずの労組指導部が、経営者の労務施策に協力し、組合員に犠牲を強要していることに「何のために組合はあるのか、フザケルナ！」という怒りの声が職場に広がっていることへの、それが組合の統制を突き破って会社への反発として吹きあがりかねないことへの、労働貴族としての自己保身的対応にほかならない。彼ら労働貴族は、組合員に企業の経営戦略・事業方針に従業員として従って自己研鑽に励み「付加価値増大」のために身を粉にして働くことを促したり、産業・企業発展のための「政策・制度要求」実現をめざして組織内候補を当選させる選挙運動に組合員を動員したりすることが困難になっていることに危機感を募らせ、その打開のためにこそ「組織強化」とか「組織力の向上」とかを強調しているのだ。現に、「組織強化」と称する「一人ひとりの下部組合員の声を聴く」という「職場ミーティング」の内実は、会社の施策や組織内議員の必要性を組合員に下達するものになり下がっているのだ。

このように労働貴族は、賃金闘争を完全に骨抜き化し投げ捨て、電機産業発展のために、〝キャリア転換〟なる美名のもとに労働者に「スキル向上」を迫りつつ経営者が〝不必要〟とみなした労働者を職場から放逐することに手を貸すとともに、「政策・制度要求」の実現をめざす「国政選挙活動」に埋没している。この彼らが主導する電機連合の労働運動は、まさに〝電機産業の発展をもって国家に報いる〟というイデオロギーを根幹とした〝今日版産業報国運動〟というべきものなのである。

われわれ戦闘的・革命的労働者は、今大会で決定された方針に貫かれている反労働者性を暴きだし、組合運動を左翼的につくり変えていくためのイデオロギー的＝組織的闘いをさらにさらに強化しなければならない。ともにたたかわん。

註　新「中期運動方針」の十四項目

①ウイズ・アフター・コロナ社会をふまえた労働運動・活動のあり方。②産業の構造変化にともなう産別のあり方。③連合、金属労協、電機連合の機能と役割分担。④多様な雇用形態の組合メンバーシップのあり方。⑤財政のあり方。⑥組合役員任期における年齢要件のあり方。⑦エイジフリー社会を念頭においた環境整備。⑧求められる人材像の変化、多様な雇用形態、雇用流動化、次世代処遇への対応。⑨男女共同参画。⑩政治活動のあり方。⑪組織化と組織力の向上。⑫継続した組織拡大の取りくみ。⑬共済制度の充実。⑭SDGs（国連の「持続可能な開発目標」）をふまえた産別運動・労働運動のあり方。

「送達日数の見直し」「土曜休配」

郵政労働者への犠牲強要を許すな

戸津山剛士

いま日本郵政経営陣は、「土曜休配」（二〇二一年十月）「送達日数の見直し」（二二年一月）実施にむけて郵便・集配労働者に熾烈な攻撃をかけてきている。彼らは「改正郵便法」の成立（註1）を契機に、「事業の持続的発展」をかけて、これまで維持してきた土曜日配達や翌日配達の廃止による、業務再編や労働組織の再編をつうじて大幅な人員削減を実施しようとしているのだ。まさに郵便内務・外務の労働者の頭上に人員削減、強制配転、労働強化、賃金切り下げの攻撃をかけてきているのだ。

経営陣は二一年五月十四日、新中期経営計画（JPビジョン2025）をうちだし、この計画の中心として郵政三事業にわたる「DX（デジタル・トランスフォーメーション）の推進」をうちあげた。経営陣は、デジタル技術諸形態の生産過程への導入をつうじて事業の効率化をはかり、郵便労働者二万人、郵便窓口労働者一万人、ゆうちょ銀行労働者三〇〇〇人、かんぽ生命労働者一五〇〇人、じつに三万五〇〇〇人の人員削減をうちあげた。この大量人員削減のひとつの柱が「土曜休配」「送達日数の見直し」にほかならない。

この経営陣の攻撃にたいしてJP労組本部労働貴族どもは、「国会で決まったことであり、効率化施策ではない」「雇止めはしないことを確認した」などとほざき経営陣に全面協力しているのだ！

すべてのたたかう郵政労働者は、本部の反労働者性を徹底的に暴きだし、「送達日数の見直し」「土曜休配」にともなう人員削減、強制配転、労働強化、賃金切り下げ反対の闘いを職場から断固として創造していくのでなければならない。

1　郵便内務労働者への首切り・配転・労働強化・賃下げ攻撃

(1) 深夜帯業務の原則廃止―大幅賃金削減

十月から実施する「土曜休配」によって、郵便内務部門は金曜日から土曜日および日曜日から月曜日にかけての深夜・早朝帯の通常郵便を区分する業務が廃止される（ゆうパックを区分する係や書留を取り扱う特殊係などは深夜帯業務が継続される）。これにともない、深夜帯に従事している非正規雇用労働者は、勤務日数が削減され月例賃金が大幅にカットされる。

また、二二年一月いこう二つのグループに分けて実施される「送達日数の見直し」によって通常郵便を区分する深夜帯業務が原則廃止され、昼間帯に移行する（一部の地域区分局は残る）。これにともない、深夜帯の通常郵便の区分業務がなくなり、非正規雇用労働者は昼間帯への移行あるいは広域配転が強制される。だが、たとえ昼間帯へ移行できたとしても割増賃金の削減、勤務時間数の削減によって生活できないほどの賃下げとなる。ある労働者は、深夜帯の割増賃金がなくなり、かつ労働時間の短縮（十時間から七時間）にともない賃金が削減され、年間およそ九〇万円もの減収となるのだ。

しかも、いま深夜帯で働いている非正規雇用労働者のすべてがそのまま昼間帯に移行できるわけではない。なぜなら、経営陣は、昼間帯でおこなう差立業務の区分・発送の結束（運送便に間に合うように処理する）締切り時刻を今後は午後五時に統一するしうちだしており、このことにともない処理頻度が減らされ昼間帯の配置人員が削減されるのは明らかだからである。

到着・配達区分においても、これまで到着便ごとに区分処理していたものを昼間帯に集中処理したり、配達局に配備している書状区分機の供給率・区分率を飛躍的に上げたりすることをつうじて、配置人員を極力削減しようとしているのだ。地域区分局での集中処理をよりいっそう拡大することによって、集配局の郵便内務を縮小できると目論んでいるのが経営陣なのだ。彼らが示す八七〇〇人の深夜帯要員から五六〇〇人を昼間帯に移行できるなどというのは、大量の人員削減をごまかすための戯言なのだ。これを許すな！

(7)「意向確認」に名を借りた露骨な人員削減攻撃

経営陣は、郵便内務部門の非正規雇用労働者にたいし、四月に「アンケート調査」、七月には「意向確認」なるものをおこなった。そして、二二年一月末の「送達日数の見直し」にむけ、その一ヵ月前に非正規雇用労働者の最終的な処遇を決定するための「意向確認」の対話を十月から十二月初旬にかけて実施する。この「意向確認」は、非正規雇用労働者の配置転換をスムーズに貫徹するためのものであり、また、彼らを〝自主退職〟に追いこむためのものにほかならない。

会社当局が「深夜帯の業務がなくなる」と説明してきたにもかかわらず、七割の非正規雇用労働者が〝現状維持〟を選択した。この非正規雇用労働者にたいして会社当局は、「部員が過員となっているので出勤日数・勤務時間数を減らすことによって部員を削減する」と露骨な恫喝を加えている。また、「対話」のなかで他局への斡旋が会社当局に義務付けられているにもかかわらず、現場管理者は非正規雇用労働者に内容を十分説明することなく「他局はないですよ」と真っ赤なウソを言ってのけている。しかも、昼間帯への移行、あるいは退職させるまで二度三度対話せよと指導しているのが経営陣なのだ（JP労組本部は〝組合員にたいする丁寧な説明を求める〟などと実質的に経営陣の退職強要を容認した）。

このようにあからさまな退職強要によって、「ふるいにかけられ、もうやってられない」「労働組合も何もやってくれない」と抗議の意思を示し、退職する労働者が少なからず生みだされてもいるのだ。

(3) 勤務時間削減、多能工化、徹底した労働強化

現場管理者どもは、一定の非正規雇用労働者にたいして、月四〜五回の深夜勤の削減を認めることを条件に雇用確保をちらつかせてもいる。だがその場合でも、これまで通常区分だけの作業であったものを深夜帯業務が残る特殊・伝送・ゆうパック・ゆうの窓などの各係を複数担うことを強制しようとしているのだ。これまで同一業務をやらされてきた非正規雇用労働者は、あらゆる業務の習得を強いられこき使われることになる。また昼間帯へ移行させられる非正規雇用労働者にとって、これまでの深夜帯から真逆の昼間帯の作業をさせられることは、生活リズムをこわし心身ともに疲労が蓄積する。しかも局所によっては、昼間帯での集中的な処理がされるがゆえに、区分機の騒音のもとで四六時中へばりつかされコマネズミのように走り回らされヘトヘトにさせられる。まさに非正規雇用労働者は徹底的な労働強化を強制されようとしているのだ。

このように非正規雇用労働者は、〝自主退職〟という名の退職強要と昼間帯への移行（勤務形態の変更）、勤務時間の削減・賃下げ・多能工化と徹底した労働強化の攻撃をかけられているのだ。

一九八四年いこう経営陣は、サービス向上策として「翌日配達体制」を拡大しつづけ、それを維持するために労働者の反対をおしきって殺人的な深夜勤をゴリ押し散々こき使ってきた。このことに頬被りをして「働き方改革による夜間労働の軽減」策などとのたまい、労働者を欺瞞し首切り・配転攻撃をかけてきているのだ。

今後経営陣がおしすすめるデジタル化の進展にともない、地域区分局への集中処理化が加速される。彼らは、「業務量に見合った要員配置の見直し」と

言いながら正規・非正規を問わず郵便内務労働者にいっそうの人員削減・配転攻撃を振りおろしてくるに違いないのだ。

2　集配労働者に人員削減・労働強化を強いる経営陣

(1) 最低限の要員配置で月曜日の配達を強制

経営陣は「土曜休配」の十月実施にむけて「曜日別要員配置」「曜日別区割りパターン」――月曜日に配達すべき通常郵便は、木曜日と金曜日に差し出された二日分となり、これを完全配達させるための要員配置計画――を各局に作成させた。他方経営陣は、月曜日を想定して二日分の配達がスムーズにいくかどうか、連休明けの七月二十四日と八月十日、二回にわたって〝実験〟をおこなった。

この〝実験〟は、各班一名～二名の増配置、増区（増配置ゼロもある）でおこなわれたのだが、実際には両日とも各区一五〇％～一八〇％の物増となり、各班一名の増配置・増区では対応しきれない局所が多く生みだされた。にもかかわらず経営陣は、「新たな要員算出標準」（註2）にもとづいた「曜日別要員配置」と「曜日別区割りパターン」で「土曜休配」を実行するようにゴリ押ししているのだ。

そもそも、新型コロナウイルスの感染蔓延下で、かつ一年で一番物量が少ない時期におこなった〝実験〟でしかないにもかかわらず、この結果をもとにして施策の実施にふみきろうとしているのが姑息な経営陣どもだ。今回の実験で補助要員が配置されたり、超勤が少なかった班・局所については配置要員を過剰とみなして、来春以降「リソースシフト」と称して配転攻撃をかけてくるに違いない。人員不足のところは労働強化がいっそう高まり、人員が多いとみなされたところは人員削減・配転の対象にされるのだ。

「土曜休配」が実施されるならば二日分の配達量となる月・火曜日だけでなく、土曜日、日曜日の速達や書留郵便などを配達する「混合」担当者の労働強化がいっそう高まる。従来より一～二名増配置されるとはいえ、月曜日の配達記録系郵便を少なくするために、速達、書留郵便などの残留は絶対に認めず、完全配達が強いられるからだ。さらに、この要員配置に変形勤務をリンクさせ、土曜日三名配置の場合、二名を八時間勤務、一名を七時間勤務に指定し、その労働者を月曜日には九時間勤務に従事させる。こうして土日勤務の労働強化を一気に強いるばかりか月曜日の超勤手当の削減をも画策しているのだ。

⑵ 配達区画の〝一筆書き〟の作成と「兼務発令」の乱発

経営陣は、曜日ごとの郵便物数の波動性（郵便物数の変動）に対応するために、要員配置を集配班単位ではなく班を飛び越えて集配部全体で運用している。

今回の「土曜休配」「送達日数の見直し」にあわせて経営陣は、〝配達区画の一筆書き〟を作成せよと号令をかけている。すなわち、すべての配達区画をつなぎ合わせて配達コースを一本の線で繋げ、どこからでもどの地域からでも配達できるように配達区画を改編せよというのだ。彼らは、配達作業の効率を上げるために、その日ごとの郵便物の波動性に応じてあらかじめ配達エリアを調整したり、進捗状況に合わせて遅れているエリアに労働者をふりむけるなどして、労働者を息つく間もなく徹底的にこき使おうとしているのだ。

現在、その運用にむけて従来の班をこえた応援（通称「班マタギ」）だけでなく、各集配部全部の「兼務発令」を、さらには他部門（郵便部、総務部など）の「兼務発令」までも乱発し始めているのである。

さらに、配達効率の向上にとって不可欠な〝通区能力〟を向上させるために、通区訓練課程にデジタル技術を導入し、「配達動画」や「電子地図」を活用させ、従来より「早く、確実」に新たな配達区画を覚えさせ、集配労働者を徹底的にこき使おうというのだ。

⑶ 精神的・肉体的疲労、健康被害

今回の「土曜休配」と「送達日数の見直し」によ

って、月曜配達の場合にはほとんどすべての種類の郵便物とゆうパック（巻き取り）などを大量に配達しなければならなくなる。朝の配達区分は物増ゆえに従来よりも約三十分程度多くかかるので配達出発時間が遅れる。しかも、二輪車に郵便物が積めず、何度も郵便局と配達先を往復しなければならず、二時間以上の超勤になる。集配労働者は昼食もろくにとれずに配達を強いられ疲労は極限まで達するのだ。また、過積載になるがゆえにハンドル操作も思うようにはいかずに転倒・交通事故の危険性さえある。配達労働者の死亡事故も増加しているのだ。

土曜日・日曜日のいわゆる「混合」配達には最低限の「増配置」しかしない。土・日の配達担当者は、月曜日から金曜日までの不在郵便物（午前配達指定が集中）、配達指定郵便、速達、レターパックなどの配達に朝から晩まで追いまくられることになるのだ。さらに〝変形勤務〟によって、月曜日の九時間勤務の労働者は超勤手当も付かず長時間の配達労働を強要されるのだ。

集配労働者は、「集配体制見直し」施策の実施によって配達作業のほかにゆうパックなどの荷物の配達・集荷作業があらたに強制される。そのために、集荷作業に必要な郵便料金、国際郵便の配達証明などの細部にわたる「取り扱い規定」を覚えなくてはならず相当困難が強いられる（最低一年かかる）。旧ゆうパック部（センター）から集配部に強制配転させられた労働者は、中勤・夜勤専門で集荷・営業活動に加えて通常配達（集荷と集荷の合間に）を強いられることになるのだ。

「土曜休配」による業務再編によってもたらされる集配労働者の精神的、肉体的疲労は計りしれない。月曜日から金曜日まで連続勤務を強いられる労働者は疲労困憊となり、健康被害さえもがひき起こされかねないのだ。それだけではない。「増配置・増区」する月曜日には年休がとれないのでまとまった休暇取得さえできなくなるのだ。

経営陣は、二〇二一年の三月の「定期人事異動」までに、「土曜休配による他の部門等へのリソース」と称して、Ｄｃａｔに集積された膨大な情報と「新たな要員算出標準」にもとづく「曜日別要員配置」

「曜日別配達パターン」を作成し大幅な〝余剰人員〟を生みだし、「局内、局外異動」という名の強制配転の攻撃を矢継ぎ早に仕掛けてくるであろう。さらに来年四月以降に予定している「荷物分野へのリソースシフト」の方向性を決定する「集配外務要員活用方針」によってさらなる配転、労働強化を強制するに違いない。

以上みてきたように、「土曜休配」と「送達日数の見直し」によって生みだされた要員を、恒常的な要員不足にさらされている郵便職場の欠員補充に充てるのではなく、非正規雇用労働者をはじめとした郵政労働者の雇止めと強制配転、さらなる労働強化・賃金切り下げにのりだしてきているのが郵政経営陣だ。彼らは郵政グループの生き残りのために、正規・非正規雇用労働者への徹底的な犠牲転嫁に狂奔しているのだ。

二一年三月十二日に郵政経営陣は、楽天と、物流部門、DX部門、金融部門、EC部門、モバイル部門の五部門で、一五〇〇億円を拠出し業務提携をおこなうことを発表した。さらに五月十四日には二〇二五年度までの「新中期経営計画」をうちだし、「P―DXの推進」をぶちあげた。

郵政部内においては、「戦略的IT投資」として四三〇〇億円の投資をおこない、二三年には郵便・集配・保険・貯金のすべてのネットワークシステムの大改編をおこなうと公言している。これを区切りとして、郵便・物流部門のオペレーション改革ばかりではなく、ゆうちょ銀行、かんぽ生命を含めた郵政三事業で働く郵政労働者に一大攻撃を仕掛けてくるに違いない。この一大攻撃の突破口が「送達日数の見直し」「土曜休配」の攻撃なのだ。許せるか！

3　全面協力する労働貴族を弾劾し職場深部から闘いを創造しよう

JP労組本部の第一の反労働者性は、「送達日数の見直し」「土曜休配」施策（以下両施策という）の実施によって「〝雇止め〟をおこなわない確認をとった」「丁寧な説明をしろ」というだけで実質的に〝雇止め〟を容認したことである。本部は、郵便の非正規雇用労働者への「二回目」「三回目」の「意向確認」の実施を認めた。当局管理者から「意向確認」と称して「丁寧な説明」がされればされるほど非正規雇用労働者は追いつめられるのだ。七月までの「意向確認」で約七割を超す非正規雇用労働者が「継続希望」を当局＝管理者に突きつけた。当然ではないか！　非正規雇用労働者にとって昼間帯への「移行」は大幅な賃金切り下げとなり、生活もなりたたなくなるからだ。このことに危機感をもった会社当局は、非正規雇用労働者が「イエス」というまで「意向確認」という名の恫喝をくりかえし、昼間帯への移行の強制と実質的な〝雇止め〟をおこなおうとしているのだ。これを唯々諾々と容認したのが本部労働貴族どもなのだ。当局＝管理者はこの本部との確認にもとづいて陰に陽にやりたい放題、非正規雇用労働者を実質的に〝雇止め〟に追いこんでいるのだ。絶対に許すな！

第二に、本部は「新たな要員算出標準」にもとづいた「曜日別要員配置」「曜日別区割りパターン」については「必要」、「本部の考え方を一定ふまえたもの」と全面的に評価していることである。冗談も休み休み言ったらどうだ！

本部は、会社当局と同様の指導を現場役員に下ろし、「新たな要員算出標準」をもとに作成した「曜日別要員配置計画」「曜日別区割りパターン」が「地理・地域の特性に合っているかどうか」を上局に報告しろとか、東京においては「独自な取り組み」と称して「二時間以下の超勤で滞留がなく業務運行を確保」（東京全体の局がほぼ該当する）できる場合には「増配置・増区」はおこなうな、『『区割りパターンの見直し』等によって対処せよ」という支社提案を丸呑みにしたうえで、「労使委員会で意見交換」し、「スムーズに実施できるように」下部役員に指導しているのである。まさに経営陣の進める効率化のもとで、下部組合員が疎外労働を強いられ、塗炭の苦しみを味わわされていることを無視して、本部みずから「集配の効率化」を経営陣に要請しているのだ。

第三に、本部はこの両施策にたいする下部組合員の意見をいっさい聞かず、経営陣との労使協議に明け暮れていることである。第十四回定期全国大会においても、「制度の全体像が不透明」、「労働力不足解決に向けた交渉の強化を」などの本部にたいする不満が噴出した。だがしかし、本部は、こうした下部組合員の突き上げによってだされた意見をまったく無視し、経営陣との労使協議で具体的内容やプランを決定し、「これに従え」とばかりに官僚主義的におしつけているのだ。本部は、経営陣との腹合わせのうえで、「国会で決定された郵便制度改正」事項であり、「効率化施策ではない」「労使の交渉事項ではない」などと現場指導している。それゆえに、現場段階において両施策の交渉らしい交渉は一切できない状況にたたきこまれている。支部・分会で移行・配転や労働強化の強要にたいする組合員の意見を集約し、要求してたたかう当たり前の組合運動ができなくなっている。下部組合員の職場での闘いを圧殺しているのが本部だ。

すべての戦闘的・革命的労働者諸君！

われわれは、コロナ・パンデミック下で組合運動が閉塞状況に置かれていることをはね返し、職場深部から「土曜休配」「送達日数の見直し」による、人員削減反対！　非正規雇用労働者の雇止め絶対反対！　強制配転・労働強化、賃金切り下げ反対！「集配体制見直し」反対！　デジタル機器の導入にともなう一大合理化反対！　の闘いを、経営陣に全面協力する本部を弾劾し、組合員との論議をつうじて組織し、断固としてたたかうのでなければならない。

すでに見てきたように本部が経営陣に全面協力するのは、彼らの労働運動路線が労使協議路線に埋没しているからであり、そのイデオロギーは労働者と資本家の対立を否定する階級融和主義に冒されているからなのだ。本部の反労働者性を徹底的に暴きだせ！

そして、われわれは「土曜休配」「送達日数の見直し」による、人員削減、配転、労働強化、賃金切り下げに反対する闘いのただなかでＪＰ労組の戦闘的強化をかちとろう。全国の仲間たち、共にたたかわん！

註1　経営陣は、週六日配達から五日配達に配達頻度を減らすことや、全国主要都市翌日配達体制の廃止を軸とする送達日数の見直し（三日以内配達を四日以内配達に）など、サービスダウンをしてまで法案成立を成し遂げようと、政府＝総務省に働きかけてきた。ＪＰ労組本部もヒヤリングに参加し法案成立にむけて働きかけてきた。そして二〇年十一月二十七日に参議院で付帯事項つきの〝全会一致〟で「土曜休配」「送達日数の見直し」を柱とする、「改正郵便法」が成立した。

註2　「新たな要員算出標準（新能率）」の主要なポイント

⑴局内作業
・貨物法制の適用による点検作業等
・安全推進の取り組みの徹底による車両点検作業
・郵便物の大型化等商品構造の変化に伴う大区分及び道順組み立て作業（大型・小型別に作業能率を設定）
・書留・追跡系の受領作業
・局内移動時間（階層移動等）通常郵便の配達がなくなることから、現在の通集要員を配置しない

⑵局外作業
・ゆうパケット、レターパック等取扱数の増加、郵便物の大型化等商品構造の変化に伴う配達作業（新商品の能率のため新たに追加、本部要求）
・安全運転定着にともなう一時停止時間
・タワーマンション等の高セキュリティーマンション等、配達環境の変化に伴う配達作業
・班長時間、高マンションについては二〇二一年度の調査結果にふまえて能率に反映

――これに加えて物数調査で調査した①班全体の郵便物数、②班内の配達区画、③班内要員、④基本配置時間、⑤超勤時間、⑥総労働時間、⑦一人当たりの超勤時間、⑧一通あたりの処理時間（秒）
・スマホからＤｃａｔに送られる膨大な配達情報等

この一切の情報等を「曜日別区割りパターン確認ツール」（ブラックボックス）にすべて集積し、全国の各班の配達区画の精査をおこない、採算がとれるか否かを検証して、「採算がとれない」と経営陣が判断した場合には何度でも「採算がとれるように曜日別区割りパターン」を作り直し、いっそう生産性を向上させることを策している。

（二〇二一年九月二十七日）

Messages from Foreign Friends to the 59th International Antiwar Assembly

May 5th, 2021, Bogota, Colombia

(Continued from No.315)

Fracción Leninista Trotskista Internacional (FLTI)

July 25, 2021

We are with you on this day of internationalist combat of the revolutionary Marxists of Japan!

We are together with you fighting in the first lines of combat of the rebellious masses of Colombia and Chile. We do it in the martyred Syria and its heroic resistance. Together, we have fought for the freedom of Syrian, Palestinian, Chilean, Colombian, Bolivian, Chinese political prisoners to free these fighters of the world working class taken hostage in the dungeons of murderous states and regimes.

We stand alongside the huge general strike of millions of Iranian workers who show that only the working class will be able to liberate that nation from imperialism, seizing power and defeating the infamous counterrevolutionary regime of the Ayatollahs, as part of one and the same revolution throughout the Maghreb and the Middle East. This is the only way to defeat Zionism, which occupies the Palestinian nation, and imperialism that plunders all the wealth of that region.

We fight alongside the masses of Hong Kong and Myanmar. Together, we raise the cry of freedom and the right to self-determination of the Uyghur people in China, as part of the struggle of the proletariat of that country to end the counterrevolutionary regime of the "red businessmen" of the Communist Party.

In the victory of these revolutionary battles today there is the only possibility to stop the capitalist catastrophe, its barbarism and the imperialist wars that threaten to plunge the entire civilization.

Comrades,

The capitalist system has entered a cycle of acute decomposition. In 2008, just like a large Titanic, the world economy collided with the underwater rocks of a phenomenal financial crash. The capitalists had spent benefits that human labour had not yet produced, as they continue to do now.

In a spiral way, the crisis, here and there, scourges different parts of the planet, creating and recreating new bubbles, fictitious profits, parasitism, looting and wars.

In 2020 a new heart attack of capitalism has developed. It had survived distributing the "zero interest rate" loans as investment profits. With these loans, the imperialist states supported their companies. Then they did the same with the fresh funds that the imperialist states gave to finance capital to "ease the crisis of the pandemic", while leaving the working class to its "fate": unemployment, the high cost of living and death. The decline in the growth of the imperialist powers is nothing more than the theft, looting and parasitism of finance capital.

Here and there, destructive forces continue to be developed, that is, producing weapons and supplies for war. While the 1% of parasites continues to concentrate the wealth of the planet, more than 300 million migrant workers are looking for a country and a job to survive. The Covid-19 pandemic only has exacerbated this crisis and

stagnation of the world economy.

The system expected a new economic revival with the decrease in the health crisis, despite the plummeting of entire branches of production such as aeronautics, tourism, etc. But the crash is so acute that the news about the spreading of the "Delta" variant of Covid-19 alone, set off a new stock market crisis.

In the central countries, the big imperialist laboratories monopolized the vaccines and left 90% of the semicolonial world devastated by the pandemic and the stagnation of its economy, without vaccines, without work and without bread for the masses. This is what we saw and still see in Colombia, Chile, Bolivia, Peru in Latin America. These are the same causes for which Swaziland and South Africa are burning today. In the latter, the starving masses take the supermarkets to get food for themselves and openly confront the regime of "reconciliation" of Stalinism and the black bourgeoisie with imperialism. It is the current catastrophe that has once again set the Middle East ablaze with blows of revolution and counter-revolution.

It is these contradictions of imperialism that lead it to bite its own tail. It destroys the areas of the planet from which it obtains its superprofits with plunder and wars. This rotten capitalist system has long deserved to die.

Comrades,

In this way, the semi-colonial world has been populated with enormous revolts, insurrections and mass uprisings, as well as new betrayals and new counterrevolutionary blows to crush them. Regimes lose legitimacy. Imperialism and the bourgeoisie throw their entire crisis on the workers and the exploited. And in the central countries, settled in the labour aristocracies and bureaucracies and their counterrevolutionary parties, they blackmail the masses with economic crash, layoffs and chronic unemployment.

In the US, the working class had entered a phase of ascent and, fighting against murderous police, unemployment and misery wages, had forced Trump himself to hide in a bunker under the White House. But the treacherous leaderships of Stalinism and the renegades of Trotskyism led the exploited in the US to support Sanders and the so-called "democratic socialists", who in turn tied the fate of the oppressed masses to Biden, the new butcher of Wall Street pirates.

With the **perfidious policy of class collaboration** with imperial-

ism and all its regimes, Stalinism, now with the open complicity of the renegades of Trotskyism, has subjected the working class to its "democratic" or "progressive" — as they say — executioners in each revolutionary process, with the excuse of "defeating the bourgeois right-wing." Thus, with the lies of the Constituent Assemblies, electoral traps, "siren songs", they disorganize from within and paralyse the revolutionary mass offensives, while fascism and Bonapartism crush the best of the vanguard, as it happens in the uprisings of the exploited in Latin America, Africa and the Middle East. The reformist leaderships have integrated themselves into the full functioning of the bourgeois parliaments. They are far from using them as a tribune to develop the extra-parliamentary mobilization of the masses.

Comrades,

Imperialism and the bourgeoisie have taken care of giving Stalinism a survival after it handed over the former workers' states in 1989, so that they continue to act as true internal police in the mass organizations and the unions, as well as to be themselves those who administer the capitalist restoration, as they do in China, Vietnam and Cuba itself, becoming a new ruling class. Meanwhile, Stalinism openly handed over the former USSR to imperialism, dissolving the CP of the USSR and becoming themselves different gangs of the nascent new bourgeoisie.

This cynical policy of preserving Stalinism, the most capable counterrevolutionary agent the bourgeoisie had in the 20th century along with social democracy, has been the worst blow to the world working class for more than 30 years. This question confirms the Marxist thesis that the crisis of the world proletariat is reduced to the crisis of its leadership, which has worsened even more since the renegades of Trotskyism handed over the clean banners of the Fourth International to Stalinism to give it a leftist varnish so that it can wash its hands full of blood and betrayals in the eyes of the new generation of the world working class.

In Latin America, under the command of the Cuban Communist Party, they have consolidated this pact to cover up the capitalist restoration in Cuba from the left. The cry "socialism is no more, not even in Cuba" came from there. This is the cruellest blow to the fight for socialist revolution in the entire continent.

Thousands of workers have taken to the streets of Havana and the

main cities of the island, driven by HUNGER.

The party of Castroism, which is associated with the French, Spanish and Canadian transnationals in nickel, tourism, hotels and tobacco, speaks in the name of "socialism" and "communism". The Spanish imperialism has more than 300 companies that do fabulous business in Cuba. In addition to this, hundreds and hundreds of new capitalist companies are already proliferating throughout the island, managed by different gangs of the Cuban CP. They do all this from their luxury homes in private countries, while the Cuban people are starving. And above all, the Stalinists shout from the rooftops that they "fight against the US blockade", when they have been in charge of betraying each of the revolutionary processes in the American continent in recent decades.

Comrades,

How can it be possible to defeat the Gringo blockade in Cuba together with Castroism, if this party of the new "red businessmen" is in the boards of oil companies such as Total, the Meliá hotel group, the Canadian nickel transnationals, when all these are listed not only in the European stock markets, but also in New York and distribute dividends from the exploitation of the Cuban masses on Wall Street? How to combat the US blockade on Cuba by begging Biden to lift it and receiving Obama with honors before, as Castroism did? This is a lie, a thousand times a lie. The embargo on Cuba or the looting of any oppressed nation in the world cannot be defeated without defeating the native bourgeoisies that have succulent businesses as minor partners of imperialism.

The US blockade, like the embargo on Iran, **can only be defeated as in Vietnam and Iraq**: with the call for an ironclad alliance with the American working class that together with the heroic resistance of the exploited of those nations, forced the US imperialism to flee from those countries.

Today the Gringo blockade in Cuba would only be defeated by expropriating imperialism and its companies that plunder the wealth of that nation in association with the new businessmen of the Communist Party. The blockade would be defeated by expanding the socialist revolution in Latin America and by not supporting decadent bourgeois regimes which exploit the masses, such as those that constitute this farce of the "Bolivarian Revolution" just as decades ago it was the in-

famy of the "peaceful way to socialism", by which Chile and the entire continent were drown in a bloodbath in the '70s.

Comrades,

The treacherous leaderships are those that block the way to the arming of the proletariat in each revolutionary offensive. They are the ones who betray the General Strikes and lead the working class to a state of despair, as it happens in South Africa. The same is happening in Venezuela, where the "Bolivarian bourgeoisie" has drained hundreds of millions of dollars from that country and is keeping the workers and the poor people under conditions of extreme misery, even pushing them into mass exile.

Stalinism and the renegades of Marxism are the ones who have subjected the indomitable Greek working class to a popular front policy and class collaboration, as they did yesterday with Syriza. With Podemos and the so-called "Anticapitalists", true loyalist forces to the Bourbon monarchy, they crushed the Catalan insurrection. They surrendered the struggle of the workers of France in defence of their conquest of the 35-hour workweek. They are the same ones who subjected the working class of Donbass in Ukraine to the butcher Putin and covered his back so that he could divide the proletariat of that country and take the Crimean Peninsula.

It has been these and dozens of others betrayals that are giving time, calm and relative stability to the governments of the imperialist powers to unload all their crisis on their own working class, amidst the Covid-19 pandemic.

It is in these conditions that, under Biden's leadership, the US "returns to the world", after the failure of Trump's "trade war".

This time with the Democratic Party, the US imperialist establishment recognizes that the US cannot keep being "first" in the world without making pacts and agreements with the rest of the imperialist powers to share the current business of the world economy.

The US cannot be "first" either if it destabilizes the institutions of domination of the planet. In its attempt to control the world, at every step US imperialism but create and recreate political crises that open gaps which the masses can break through.

The US blanket can no longer cover the entire world market, when France and Germany have conquered its "living space" throughout Europe, from Portugal to the Russian steppes.

In his first tour as US president, Biden has travelled to Europe to propose a pact to the Franco-German axis to reconstitute institutions of stable rule, on the condition that it subsidizes and guarantees the support of NATO, under the command of US imperialism. Biden has agreed to the completion of the construction of Nord Stream 2, the gas pipeline that goes directly from Russia to Germany, while guaranteeing him and his family the business of the gas that circulates through Ukraine.

Biden also met with Putin, his partner in the massacre of the Syrian masses, to whom he proposed to support the counterrevolutionary pact in Geneva. From there, Russia together with Turkey guarantee stability not only in Syria, but throughout the Maghreb and the Middle East in the face of the crisis of Zionism and the weakening of Iran. The US relies on the emergence of the "great" Turkey, a minor power that controls all the gas pipelines that run from the Caucasus and the Middle East to the Mediterranean and the world.

The US can no longer be "first" without recognizing the true balance of forces it has with the rest of the imperialist powers. And Biden went for his goal: to propose to all — Japan included — a front to strike together to subdue China and take over its domestic market of 400 million consumers and its large conglomerates of big state-owned companies.

On his trip, Biden proposed the German and French companies for them to be the ones to control the market for the production of microchips for war industry, auto industry, electronics, etc. so that the great conglomerates of China that falsify and copy the patents of the US and European imperialist powers could not.

Days ago, when it was the stock market crisis, all these companies, both state owned and private ones, were immediately withdrawn by the Chinese government from Wall Street Stock Exchange. This was because the "red entrepreneurs" in Pekin were in panic that the price of these companies could be devalued and so the US imperialist pirates would buy most of their shares at a very low price. The reason is that imperialism is not only attacking China politically, but also financially.

America first ... Off the shores of China, the US imperialists show their gunboats, in an aggressive and offensive policy, sustained even from its military base installed in Japan. While China develops an ar-

senal and a defensive military force on its borders, it is the United States that travels with its military fleets and bases throughout the Pacific.

Today, to get out of the current catastrophe, imperialism prepares new wars and economic and military blows to control China. The economic and political battle for China gets deeper under Biden's command, as guns and gunships are deployed over the Pacific.

Comrades,

The road to war must be stopped. The capitalist catastrophe and imperialism's parasitism, place the masses under conditions of unprecedented sufferings and the prospect of new military conflagrations.

The implementation of a revolutionary strategy for the victory of the world working class is the central task of the international Marxist movement.

The struggle to break with all kinds of class collaboration policy is a priority in the revolutionary program. The fight to defeat the imperialist domination of the colonial or semi-colonial countries will not succeed by sealing pacts with the low native bourgeoisies, as Stalinism and all the renegades of Marxism proclaim. Those bourgeoisies are minor partners of imperialism and will always be united with it to attack the masses, defending their own private property. On the contrary, it is a question of uniting the working class with the impoverished

layers of the peasantry and the people to seize power and thus liberate every oppressed nation from the imperialist yoke. For the proletariat of the central countries, the “enemy is at home”. Only along this path will the working class be able to conquer its international unity.

Reformism intends to fight fascism and bonapartist regimes by subjecting the proletariat to the fractions of the bourgeoisie that claim to be “democratic”. This is a fallacy. The proletariat defends democratic freedoms with arms in hand and with the method of proletarian revolution.

The fight to set up bodies of armed dual power of the masses at the beginning of any pre-revolutionary or revolutionary situation is a key and decisive issue for the victory of the masses and to prevent their crushing at the hands of fascism.

The fight to conquer revolutionary leaderships in the unions, based on the most audacious workers’ democracy is the way to collaborate decisively with the masses to get rid of the treacherous leaderships.

Imperialism centralizes its offensive and the treacherous leaderships. Uniting the international struggle of the proletariat is an urgent necessity.

Comrades, the iron alternative today is no other than socialism or barbarism; socialism or war.

Let us continue fighting together against imperialism, the bourgeoisie and the enemies of the world proletariat!

For the working class and the oppressed peoples of the world to live, imperialism must die!

Carlos Munzer, Abu Muad and Paula Medrano
for the Collective for the Refoundation of the Fourth International / International Leninist Trotskyist Fraction (FLTI)

国際レーニン・トロツキー主義派（ＦＬＴＩ）　既成のトロツキスト組織の堕落を弾劾してたたかっている戦闘的左翼の国際組織。中心は南米アルゼンチン。

Liga Socialista de los Trabajadores Internacionalistas de Bolivia — FLTI

27 de julio del 2021
Desde El Alto, Bolivia

Les enviamos un caluroso saludo revolucionario e internacionalista a todos los organizadores y participantes de la 59º Asamblea Internacional Antiguerra en Japón.

Estimados compañeros, cuando caían nuestros muertos, heridos en la ciudad de El Alto (Zona de Senkata) y fueran torturados muchísimos presos políticos con el golpe fascista contrarrevolucionario de la oligarquía de Santa Cruz en noviembre de 2019 dirigida por la Organización de los Estados Americanos (OEA) y el Comando Sur yanqui, los marxistas revolucionarios de Japón de la JRCL-RMF, así como los trabajadores y su aguerrida juventud nos rodearon de solidaridad y apoyo revolucionario al pueblo boliviano en nuestra lucha y por la justicia de nuestros mártires.

El 12 de diciembre del 2019, día internacional del Trabajador Perseguido, fue tomado por los familiares y víctimas de la masacre e impulsaron un acto internacionalista en la iglesia San Francisco de Senkata, lugar que albergó a los cuerpos asesinados. Allí las víctimas recibieron mensajes de distintas organizaciones comprometidas con la causa revolucionaria, el mensaje solidario de la JRCL-RMF no faltó, fue expuesto en carteles y seguidamente leído por una madre de tenía a su hijo herido de bala. Ese espíritu de lucha internacionalista nos quedó marcado para fortalecer aún más la lucha por el internacionalismo proletario que es la única salida para enfrentar y terminar de derrotar a nuestros enemigos de clase. ¡Estamos con ustedes camaradas de Japón! ¡No nos dejaron peleando solos!

Hoy continuamos en lucha, pues con el gobierno bolivariano de Arce Catacora no hay ni justicia para los masacrados por los fascistas, ni la libertad efectiva a los presos políticos, ni el pan a los obreros, ni la

tierra a los campesinos pobres y se abre la necesidad de fortalecer aún más la lucha internacionalista contra tanta opresión mundial. Esto ha sido comprendido por algunos familiares de la masacre de Senkata, fabriles y un polo de mineros del distrito minero de Huanuni (Oruro) quienes también expresaron fervientemente su solidaridad con el pueblo colombiano que se sublevó de su yugo que llena sus cárceles de luchadores y tiñeron las calles de sangre obrera y campesina bajo la tutela de las malditas bases yanquis. ¡Un mismo enemigo, una misma lucha!

¡Continuemos luchando por encima de las fronteras!
¡Justicia a nuestros mártires!
¡Viva la solidaridad proletaria internacional!

Liga Socialista de los Trabajadores Internacionalistas de Bolivia — FLTI

ボリビア国際主義労働者社会主義同盟　FLTI のボリビア組織。鉱山労働者に根をはってたたかっている。

The Commission of Convicted Workers, Families and Friends of Las Heras
The International Network for the Freedom of Political Prisoners of the World and Justice for Our Martyrs

July 25, 2021
Las Heras, Patagonia Argentina

To the Anti-War Assembly
To our dear comrades of the JRCL-RMF and to the young Zengakuren.

Comrades,

Once again, this year we, the workers and exploited of the world, find ourselves facing the enormous attack of the capitalists. That is why we send you this fraternal greeting to the Anti-War Assembly, to continue fighting together across borders in defence of all the persecuted and imprisoned comrades and for justice for our martyrs.

Those at the top seek to impose the double of slavery and the deepening of the plunder of the oppressed peoples of the world.

The best fighters of the working class are real hostages in the filthy jails of the regimes and governments around the world, commanded by the imperialist monopolies. We are living it today in Colombia, in Iraq and Iran, in Lebanon, in Chile and all over the world.

The brutal genocide of our siblings in Syria cannot remain unpunished. The oppressed and young workers are still resisting in that nation drown in blood by Assad-Putin and other occupation troops under the command of the gringos. They cannot continue to fight alone!

Let us multiply the struggle all over the world over the bars of the capitalist dungeons against the attack from those from above. Together with you and hundreds of workers' organizations around the world, we have put the spotlight on the oil companies' court that condemned the Las Heras workers to life imprisonment and jail and we are still fighting for their acquittal.

Today, this fight is the same as the one to free the revolutionary workers and youth in the jails of Colombia who are facing the murderous government of Duque and the Uribeist regime commanded by the US military bases.

After the international day in solidarity with the workers and the poor people of Colombia on June 26, in which you participated, the first Bulletin has been published. It calls to organize an international Day of Rage to stop the massacre in Colombia.

The struggle to break the siege and stop the massacre of the Colombian revolution will undoubtedly be taken into the firm hands of the revolutionary workers and youth of Japan.

S.O.S. Colombia, THEY ARE KILLING US! **Let us strike together for the coordination of struggle actions, for strikes, picket lines and direct actions at the embassies and consulates of**

Colombia for the freedom of all the political prisoners of our class, for justice for all those assassinated by the State and for the victory of the workers uprisings that are developing today.

This is the way to free the thousands of prisoners in Assad's jails. It is a single struggle to free the prisoners in Iranian jails and for the victory of the workers' and the poor peasants' uprising which confronts the regime of the Ayatollahs and thus unite the forces of the exploited of the Palestinian nation to confront the Israeli Zionist occupier.

Let us strengthen the unity to free the workers and youth who rose up in Chile against Piñera and imperialism from the clutches of the Pinochetista prisons, as part of the same fight to bring justice for our martyrs of Senkata in Bolivia, massacred by the government of the Añez and the Banzerista generals on behalf of the gringos. In Latin America and even inside the United States, the jails have been filled with prisoners of our class for having risen up for bread, for freedom and against super-exploitation, as we also see today dozens of prisoners in Cuba who rose up against the hunger imposed by the capitalist government of the Castro Communist Party. This government has learned well from the "red" mandarins of the Chinese CP who have been murdering, imprisoning and massacring the workers who fought for independent trade unions supported by the militant youth, while crushing every uprising and revolt that arises.

From Japan, in the very noses of imperialism, you have taken to the streets in favour of all the struggles of our class, together with the brave young Zengakuren students. This is the way forward that must be deepened!

Dear comrades, for years we have been striking together and we will never separate.

One single class, one single enemy, one single struggle worldwide! The rebellion of the slaves is not a crime, IT IS JUSTICE!

Claudia Pafundi, member of the Commission of Convicted Workers, Families and Friends of Las Heras
Oman Biyik, member of the International Network for the Freedom of Political Prisoners of the World and Justice for Our Martyrs

ラスエラス争議被告労働者と家族・友人の会　世界の政治犯解放とわが犠牲者のための正義をめざす国際ネットワーク　FLTI の仲間が中心になって組織している政治犯救援団体。

Российская партия коммунистов

Исполком Российской партии коммунистов шлёт товарищеские приветствия организаторам и участникам 59-ой Международной антивоенной ассамблеи! Достойна большого уважения верность традиции, установленной Союзом революционных коммунистов Японии , организацией Дзэнгакурэн и Комитетом антивоенной молодёжи: ежегодно к дням памяти жертв трагедий Хиросимы и Нагасаки, дням величайших преступлений империализма XX века, созывать Ассамблею, главная цель которой состоит в концентрации внимания на борьбе против актуальных угроз миру в разных регионах планеты.

Мы внимательно изучили Обращение Исполнительного комитета. Во многом мы согласны с развёрнутым в нём анализом существующей в мире напряжённой обстановки, усугубленной ещё и невиданной, охватившей весь мир пандемией.

Мы в РПК согласны с тем, что обостряющееся противостояние США и Китая, государств, представляющих две крупнейшие экономики мира, является сегодня главной угрозой всему человечеству. Все, более или менее ответственные политические силы в мире, в первую очередь в самих этих странах, должны сделать все возможное, чтобы заставить руководство каждой из этих держав встать на путь деэскалации противоречий.

Вы справедливо обращаете внимание на постоянно тревожный регион Ближнего Востока. Он уже долго является

ареной, на которой претворяется в жизнь так называемая теория управляемого хаоса, выдвинутая небезызвестным Збигневом Бжезиньским (США). Одним из последних примеров реализации этой теории были предпринятые премьером поддерживаемого США Израиля Нетаньяху акции по выселению нескольких арабских семей из восточных кварталов Иерусалима. Они вызвали оправданный взрыв возмущения арабских и не только арабских жителей Восточного Иерусалима и Палестины, а затем и обмен ракетными ударами, произведёнными по территории Израиля и полосе Газа Палестинской автономии с немалым числом жертв среди мирного населения. Справедливое наказание от народа Израиля понёс и Биньямин Нетаньяху, проиграв очередные парламентские выборы.

Мы всецело одобряем вашу принципиальную борьбу против военного союза с США.

Как и вы, товарищи, мы выражаем обеспокоенность участившимися проявлениями сталинистских настроений в некоторых левых организациях. Уже каждому коммунисту должно быть ясно, что сталинизм — это гарантия поражения в борьбе против капитализма.

С одним предложением вашего Обращения нам согласиться трудно. Зачем вы требуете отменить Олимпиаду? Она и так уже перенесена на год. Ведь спортивные соревнования такого уровня несут бодрость, пропаганду здоровья и дружбы молодёжи всей нашей планеты. Защита от пандемии, похоже, властями Японии обеспечена: спортсмены-участники либо вакцинированы, либо переболели ковидом, а болельщики будут болеть только в онлайн режиме.

Мы в России вступили в большую политическую кампанию. 19 сентября — выборы в Государственную Думу и во многие региональные парламенты. РПК вместе с другими участниками Лево-патриотического народного фронта видит главную политическую цель на этих выборах — лишение парламентского большинства у партии *Единая Россия*, опоры российского полупериферийного империализма.

Общая беда (и вина) коммунистического движения — его раздробленность, в каждой стране и в международном масштабе. И вы правильно констатируете: «... только объединённая борьба

может принести успех».

Мы поддерживаем ваш призыв «За ренессанс марксизма Маркса!», значит марксизма развивающегося, отвечающего вызовам развивающегося социума Земли.

Желаем успеха 59-ой Международной антивоенной ассамблее!

Исполнительный комитет Российской партии коммунистов

... июля 2021

ロシア共産主義者党　サンクトペテルブルクを中心として活動している左翼組織。「スターリン主義の克服」を綱領に掲げている。

Исайчиков Виктор Фёдорович

Уважаемые товарищи!

ОПД «Марксисткая платформа» и редакция журнала «Просвещение» поддерживает вашу борьбу за мир, за новый, пролетарский социализм!

Капиталистический мир сейчас находится в нестабильном положении. Анархия капиталистического общества впервые в истории развития мирового капитализма привела к несоответствию численность мирового населения и располагаемых ресурсов, и вызвала не только чрезвычайно опасное для человечества повышение температуры атмосферы и океана, но и неконтролируемые в условиях глобализации контакты человека с новыми опасными инфекциями (лихорадка Эбола, «птичий грипп» и др.). К этому процессу может относиться и поразившая весь мир инфекция коронавируса, хотя у нас нет уверенности, что этот вирус не создан и запущен империалистами для решения проблемы перенаселения по рецептам

Мальтуса: войны, болезни, голод и пр.

Развитие капитализма приводит к всё большей классовой поляризации: тысячи сверхолигархов и несколько миллионов богачей — на одном конце, и миллиарды людей, преимущественно в странах капиталистической периферии — проживающих в бедности и в состоянии необеспеченного существования. Повышение температуры среды в связи с «парниковым» эффектом, а также загрязнение окружающей среды отходами промышленности и жизнедеятельности по расчётам учёных в ближайшие годы сделает непригодными для проживания значительные территории, преимущественно в тропиках и субтропиках, что вынудит миллиарды людей менять не только место проживания, но и способы существования. Но у капитала нет нужды в этих людях; роботизация и автоматизация в ближайшие годы сделает ненужными и сотни миллионов рабочих и служащих в развитых странах, где уже значительную часть рабочих мест составляют места, необходимые лишь для сокрытия безработицы и для того, чтобы иметь необходимое «пушечное мясо» для будущей войны. Целью этой войны, которую не скрывают ряд идеологов правящих классов — доведение численности населения Земли до 400-500 миллионов человек в ближайшие годы и десятилетия. Кроме «лишних» в нынешней экономической ситуации миллиардов крестьян по всему миру (в развитых странах в сельском хозяйстве занято 2-3% населения, а в целом по планете — почти 50%), сотен миллионов люмпенов, живущих подачками, к первым целям американских империалистов относятся их капиталистические конкуренты из ЕС, Японии и др. стран, которые на первом этапе войны будут использованы как подручные палача, а затем сами положат головы на плаху (чемберлены и даладье ещё не перевелись).

Но главным противником олигархов США является мелкобуржуазно-социалистический Китай, который является главным конкурентом США в промышленности и уже сейчас превосходит США в объемах реального производства. Но главное — Китай представляет иную идеологическую систему, даже в её мелкобуржуазно - бюрократическом виде противоположную капитализму. Российские власти в настоящее время — это

прислужники империализма, выполняющие его специфические задачи по подготовке к новой мировой войне; разрушенная и постоянно отстающая экономика России не является конкурентной для империалистов, а в случае уничтожения 7 миллиардов человек и большая часть её сырьевых ресурсов не потребуется для оставшегося «золотого полумиллиарда».

Поскольку мировая война нового типа — на уничтожение населения — надвигается неуклонно, то главной задачей коммунистов и других гуманистов является борьба за её предотвращение и снижение численности населения наиболее гуманным способом — переходом на однодетную семью. Вот это тот новый лозунг, который коммунисты должны поместить на свое знамя в дополнение к нашему общему лозунгу Маркса-Энгельса: «Пролетарии всех стран, соединяйтесь!».

Исайчиков Виктор Фёдорович, сопредседатель ОПД «Марксистская платформа», главный редактор журнала «Просвещение».

ヴィクトル・ヒョードロヴィチ・イサイチコフ氏　旧ソ連共産党内「マルクス主義政綱派」の流れを汲み、理論戦線で活動をつづけている。

Михаил Борисович Конашев

Ассоциация «Советский Союз»

Дорогие товарищи, участники 59-ой интернациональной антивоенной ассамблеи!

От всей души поздравляю вас с проведением ассамблеи и горячо желаю успехов в ее работе, в деле борьбы за мир во всем мире! Именно так — в деле борьбы за мир во всем мире — писали и говорили тогда, когда существовал Советский Союз, благодаря которому и международному коммунистическому движению многие войны и агрессивные вторжения удалось

предотвратить, а многие справедливые национально-освободительные войны против ига капитала завершить победой народа. Именно поэтому наша задача — укреплять и развивать международную солидарность трудящихся, добиваться единства коммунистического движения и создания единого фронта всех прогрессивных сил в борьбе за прекращение гонки все более смертоносных вооружения, ликвидации всех военных блоков и военных баз на чужой территории, за принятие и реализацию всеобъемлющей программы постепенного, шаг за шагом разоружения. Успехов нам в этой борьбе!

Михаил Борисович Конашев
Ассоциация “Советский Союз”
30 июля 2021 г.
Санкт-Петербург (Ленинград)

ミハイル・ボリソヴィチ・コナショフ氏　サンクトペテルブルクの左翼的学者グループの中心のひとり。

Тюменский обком РКРП(б)-КПСС

Уважаемые товарищи!
Участники 59-ой интернациональной антивоенной ассамблеи!

Тюменский обком РКРП(б)-КПСС приветствует участников 59-ой интернациональной антивоенной ассамблеи! Мы поддерживаем справедливую борьбу против нарастающей опасности новой войны! Но нужно понимать, что в сегодняшних условиях война — это не только атомные бомбы, ракеты и военная техника. События последних двух лет показали, что в нынешних условиях война ведётся совсем другими способами.

Глава Ливии Муаммар Каддафи ещё в 2009 г. выступая на

64-й Генеральной Ассамблее ООН чётко определил, как будет выглядеть новая война: “Они сами будут создавать вирусы и продавать вам противоядия. Потом будут делать вид, что им требуется время на поиск решения, тогда как оно уже будет у них”. Это было его предупреждение о том, как буржуазные корпорации будут развязывать новую войну. С начала 2020 г. мы видим, как буржуазия всего мира, используя коронавирусную инфекцию, развернула настоящую войну по уничтожению населения планеты. Вначале, под предлогом якобы развернувшейся пандемии коронавирусной инфекции население большинства стран загнали в режим самоизоляции. Любое нарушение грозило неимоверными штрафами и даже тюремным заключением. Затем придумали вакцинирование, когда людям вводят непроверенные и неопробированные вакцины, не прошедшие испытания. Неизвестно какое они окажут воздействие на организм человека, но уже сейчас люди умирают после вакцинирования.

Более того, правительства многих стран в противоречие Нюрнбергскому Кодексу идут на различные ухищрения, чтобы сделать это опасное вакцинирование обязательным. Вот она, война нового типа: превращение всего мира в концлагерь, где только небольшая группа капиталистов наделила себя правом решать, кому жить, а кому нет. Именно против таких проявлений сегодня должны выступать трудящиеся всего мира, против такой войны в текущих условиях необходимо протестовать как можно активнее.

Мы солидарны с участниками 59-ой интернациональной антивоенной ассамблеи в том, что сегодня именно США являются одной из главных сил в разжигании этих новых боевых действий. Именно поэтому они сегодня говорят о том, что именно американские солдаты победили фашистскую Германию и милитаристскую Японию во время Второй мировой войны. Они стремятся целиком переписать мировую историю, исключив в совершении Победы роль первого в мире государства рабочего класса — Союза Советских Социалистических Республик!

Весь мир благодарит именно СССР, что он смог перебить хребет мировому фашизму — передовому отряду капитализма. Именно советские люди самоотверженно сражались с

фашистской угрозой, кровью отстаивая буквально каждую пядь советской земли. Во Второй мировой войне больше всего погибло именно советских людей, именно СССР понёс самые тяжелые потери и разрушения. Но советские люди смогли в максимально короткие сроки отстроить страну и наладить производство.

Но это было бы невозможно, если бы в СССР не было социалистического строя, а у руководства страны не стоял Иосиф Виссарионович Сталин, настоящий коммунист, большевик, истинный продолжатель дела марксизма-ленинизма. Сталин на практике воплотил идеи Владимира Ильича Ленина, которые являлись логическим продолжением идей, заложенных основоположниками марксизма Карлом Марксом и Фридрихом Энгельсом. И потому нельзя согласиться с предложениями интернациональной антивоенной ассамблеи о том, что нужно отделить И.В. Сталина от марксизма. Ошибочно заявлять о том, что он исказил принципы марксизма. Наоборот, он вывел его на принципиально иной уровень, обеспечивший на практике построение социалистического общества в СССР.

Это как раз и позволило в короткие сроки подготовить страну к Великой Отечественной войне и выиграть её. В последующие годы именно СССР был гарантом мира и стабильности. Именно чёткое понимание идей марксизма, применение их на практике и стремление построить коммунистическое общество позволяли сдерживать капиталистическую агрессию со стороны США, не давать претворить их агрессивные планы и распространить влияние США на весь мир.

Поэтому США сделали всё, чтобы уничтожить СССР. Не смогли уничтожить в открытой войне, но нашли и воспитали предателей, которые смогли сделать всё, чтобы великая держава была уничтожена. И нынешний президент РФ В.В. Путин как раз участвовал в уничтожении СССР и был посажен в кресло президента одним из таких предателей и разрушителей Б.Н. Ельциным. Потому сегодня Путин такой же ставленник крупного капитала, и он проводит политику в интересах капитала, направленную в первую очередь на борьбу с населением России. Сегодня за коммунистические идеи в России преследуют: сажают в тюрьму, дают неимоверные штрафы. В Тюмени демонстрация,

посвященная 103-й годовщине Великой Октябрьской социалистической революции, была фактически разогнана полицией, его участники получили штрафы, а на меня возбудили уголовное дело и судили полгода якобы за избиение сотрудника полиции. И такое происходит по всей стране! Это политика Путина, стремящегося уничтожить коммунистические идеи.

И никогда Путин не пошёл бы на сотрудничество с Китаем, если бы там действительно был коммунистический режим, а тем более «неосталинский», как говорится в обращении участников 59-ой интернациональной антивоенной ассамблеи. Китай уже давно выстроил систему государственного капитализма, и руководящая партия только по названию является коммунистической, но в сути своей она уже давно отошла от основных принципов марксизма-ленинизма.

В связи с этим мы призываем всех участников 59-ой интернациональной антивоенной ассамблеи посмотреть на окружающий мир трезво и понять, что мировая война сегодня идёт вовсю, только против населения мира используется совсем другое оружие: искусственно созданный вирус и вакцины, направленные на уничтожение населения. И только вооружившись знаниями марксизма-ленинизма и следуя по пути. указанному товарищем И.В. Сталиным, в этой войне можно победить. Не случайно ему принадлежат пророческие слова: «Наше дело правое! Враг будет разбит! Победа будет за нами!»

Желаем участникам 59-ой интернациональной антивоенной ассамблеи достойно продолжать эту борьбу!

Первый секретарь Тюменского
Обкома РКРП(б)-КПСС
А. К. Черепанов

ロシア共産主義労働者党（ボルシェビキ）・チュメニ州委員会
旧ソ連共産党の流れをくむグループ。最近ロシア共産主義労働者党から分裂した。

国際・国内の階級情勢と革命的左翼の闘いの記録（二〇二一年八月～九月）

国際情勢

8・3　イラン新大統領就任認証式でライシが「制裁解除に全力をあげる」と演説

8・4　米が台湾に自走砲など7億ドル超の武器売却発表

8・5　イスラエル軍がレバノン南部を空爆（06年以来）

8・6　**タリバンがアフガニスタンの州都制圧作戦を開始。**南部カンダハル、西部ヘラート制圧（13日）。北部要衝マザリシャリフを制圧（14日）

▽中国軍が海南島・西沙諸島海域で最大規模の軍事演習を開始（～10日）

8・9　中露両軍1万人が寧夏回族自治区で対イスラムゲリラの合同軍事演習を開始（～13日）

8・15　**タリバンがアフガン首都カーブルを制圧、大統領ガニ逃亡後の大統領府を占拠**

8・16　米大統領バイデンが8月末のアフガンからの米軍撤退方針は堅持と表明

▽**中露外相電話会談で王毅がアフガンの「開かれた包括的政府」を提唱、ラブロフが呼応。**タリバン幹部が中国メディアに「開放的・包括的なイスラム政府をつくる」と表明（19日）

8・17　露軍1000人がアフガンに隣接するタジキスタンの山岳地帯で軍事演習を開始。中国がタジキスタンのドゥシャンベでテロ取り締りの演習を18～19日に実施と発表（18日）

▽中国軍が台湾南西・南東の海・空域で軍事演習。中国軍が新型短距離弾道ミサイル発射（21日）

国内情勢

8・2　**自衛隊がフィリピン海で英空母参加の英・米・豪軍などとの合同軍事演習開始**

▽政府が新型コロナ中等症患者を自宅療養にする方針を発表。批判噴出で厚生労働相・田村憲久が「中等症は原則入院」と修正（5日）

8・6　広島原爆76年式典で首相・菅義偉が挨拶の一部「唯一の戦争被爆国」など読み飛ばす。長崎式典に遅刻、核禁条約批准を拒否（9日）

▽6月の毎月勤労統計調査で実質賃金が対前年同月比0・4％減

8・8　東京五輪が閉会

8・9　各紙の世論調査で菅内閣の支持率が軒並み過去最低。『朝日新聞』は28％

8・10　出入国在留管理庁がスリランカ人女性死亡について治療放棄を居直る報告書を発表

▽人事院が国家公務員期末・勤勉手当0・15ヵ月引き下げを勧告

8・12　**東京都の自宅療養者が2万人を超え過去最高。**専門家が参加する都のモニタリング会議では「制御不能の災害レベル」との声噴出

8・17　政府が新型コロナ緊急事態宣言の対象地域拡大と期限延長を決定、7府県を追加し13都府県となる

8・18　原子力規制委員会が日本原電敦賀原発2号機の地質データ書き換え問題で再稼働の前

革命的左翼の闘い

8・1　**第59回国際反戦集会を全国7ヵ所でかちとる**（東京、北海道、東海、北陸、関西、九州、沖縄）。新型コロナ・パンデミックの発生から1年半、〈米中冷戦〉が熾烈化し世界的戦乱勃発の危機が高まるもとで、革命的反戦闘争の断固たる推進の決意を固める。世界12ヵ国23団体・個人から連帯のメッセージ

8・10　沖縄県学連が米軍石平司令部（北中城村）と自民党沖縄県連（那覇市）に連続抗議闘争。「辺野古新基地建設阻止・日米合同軍事演習反対・対中国グローバル同盟反対」を掲げて

8・27　沖縄県反戦労働者会議の労働者が労働者・市民とともに米海兵隊によるPFAS（発がん性フッ素化合物）汚染水たれ流し弾劾の緊急闘争（普天間基地野嵩ゲート前）

8・30　琉球大学学生会と沖縄国際大学のたたかう学生が労働者・人民の最先頭でPFAS放出弾劾闘争に起つ（野嵩ゲート前）。「英空母クイーン・エリザベスを投入した米英日合同軍事演習反対」を呼びかけた沖国大生の抗議集会

8・18 タリバン幹部が「新政権のシステムはイスラム法にもとづく」「民主主義の制度はない」と言明

▽アフガン大統領ガニの亡命受け入れをUAEが発表

8・23 露主導の「集団安全保障条約機構」のオンライン首脳会議でアフガン発の脅威への対処協力を合意

8・24 G7オンライン首脳会議で各国首脳が米軍撤退時期の延期を要求、バイデンは応じず

▽中国が渤海、黄海、南シナ海の一部海域で27日まで実弾演習。また軍「東部戦区」が東シナ海で陸海空の合同演習を27日に実施したと発表（28日）

8・25 米副大統領ハリスがベトナムで国家主席グエン・スアン・フックと会談し対中国の安保協力を確認

8・26 カーブル国際空港近くで大規模爆発、米兵とタリバン戦闘員を含む180人以上死亡、イスラム国（IS）傘下の「ホラサン州」が実行声明

8・29 カーブル空港西側で「ISの車両を無人機で空爆」と米軍が発表、子ども7人を含む民間人10人死亡。米中央軍司令官が誤爆と認める（9月17日）

8・30 米軍がアフガンから完全撤収＝敗走

9・1 米気候問題担当大統領特使ケリーが訪中し（〜3日）中国の担当特使と会談

9・3 タリバンがパキスタンで開催の国際会議にオンラインで参加、中国・パキスタンの進めるインフラ整備事業をアフガンまで拡張するように呼びかけ

9・6 タリバンがアフガン全34州を完全制圧と発表

9・7 タリバンが暫定政権閣僚を発表、アクンザダを最高権威、首相にタリバン創設者の一人アフンド

▽韓国軍が9月1日にSLBMの水中発射実験に成功

提となる安全審査の一時中断を決定

8・19 自民党政調会長・下村博文がコロナ特措法を改定し個人の行動を制限すべきだと主張

▽トヨタがコロナ危機による部品不足で9月の世界生産量の4割にあたる36万台減産と発表

8・20 国内の新型コロナ新規感染者が1日2万5876人。全国の重症者が過去最高の1816人（重症者は9月4日には2223人）

8・22 横浜市長選の投開票で立憲民主党推薦・共産・社民支援の山中竹春が圧勝、菅が推した小此木八郎が惨敗

8・23 NSCがアフガンからの邦人と関係者退避のため自衛隊機派遣を決定。3機が出動。8月末撤収までに救出したのは1名のみ

8・24 東京パラリンピック開幕強行

▽沖縄南方で自衛隊と英空母打撃群（オランダ軍含む）および米軍との共同訓練を公開

8・25 政府が8道県に緊急事態宣言を追加発令すると決定、まんえん防止等重点措置適用は4県を追加で12県に

▽沖縄本島と宮古島間の空域を3日連続で中国軍無人機が飛行、空自機が緊急発進

8・26 自民党の岸田文雄が「党役員任期は1期1年、連続3期まで」を掲げ総裁選出馬を表明

8・30 菅が自民党幹事長・二階俊博と会談。早期に党人事刷新・幹事長交代を通告

8・31 財務省が22年度予算案の概算要求締め切り、要求総額111兆円超、4年連続過去最大。防衛費は5兆4797億円で過去最大

での発言に圧倒的共感

9・2 「米軍のPFAS汚染水強行放出に抗議する緊急集会」（同実行委員会主催、米軍石平司令部前）で琉大学生会と沖国大のたたかう学生が「日米の対中国グローバル同盟反対」を掲げ最先頭で奮闘

▽辺野古N2護岸工事着工弾劾！「すべての新基地建設の作業を中止せよ！防衛局への抗議・要請行動」（ヘリ基地反対協議会主催、嘉手納町）で県反戦の労働者が「反安保」を掲げ奮闘

9・5 全学連がイギリス大使館前（東京都千代田区）で英空母クイーン・エリザベス横須賀寄港弾劾の緊急抗議闘争。米英日〝ネオ三国同盟〟の構築に反撃の炎

▽陸上自衛隊戦車部隊の市街地移動訓練に反対し北海道釧路町で労働者・市民が抗議闘争

9・15 沖縄県学連が陸上自衛隊大演習阻止に決起。陸自那覇基地ゲート前で「陸自ミサイル部隊沖縄配備阻止！辺野古新基地建設阻止！」の雄叫び

▽神戸大生の会と奈良女子大学学生自治会のたたかう学生が自民党大阪府連（大阪市）に陸自大演習反対の抗議行動

9・18 国学院大学学生自治会が自治委員

との報道。15日にも韓国軍がSLBM発射実験
9・8 米独共催でG7を含む22ヵ国とEUなどがアフガン問題で外相級オンライン会合、中露は不参加
▽パキスタン主催のアフガン近隣6ヵ国外相オンライン会合で中国・王毅がタリバンの政権構築を歓迎
9・9 バイデンと習近平が電話会談で「競争が衝突にならないようにするための両国の責任」を確認
9・10 ロシア・ベラルーシ両軍20万人が合同演習「ザーパド21」を両国で開始（16日まで）
9・11 オーストラリアとインドが初の「2＋2」開催（ニューデリー）、対中国で連携強化を確認
9・13 北朝鮮が11〜12日に巡航ミサイル発射実験、1500キロメートル飛行し成功と発表。15日に変則軌道の新型ミサイル2発を初めて列車から発射
▽台湾が大規模演習「漢光演習」を全土で開始（〜17日）
9・15 **米・英・豪3国首脳オンライン会議でAUKUS結成を合意、豪の原潜開発への米英協力を決定。仏政府が仏豪潜水艦建造契約破棄＝米豪の原潜建造合意に激怒し米豪非難**（16日）。米豪両国から大使召喚を発表（17日）。マクロンが駐米大使帰任と言明（22日）
▽EU欧州委員会委員長フォンデアライエンが「米に依存しない独自防衛力の強化」を提唱
9・16 米豪が「2＋2」会合、豪への米軍用機・補給艦の配備増強や両国の台湾との関係強化を合意
▽**EUが「インド太平洋戦略」を発表、台湾との経済・技術協力、対中投資協定の手続き完了を謳う**
▽**中国政府がTPPへの正式加盟を申請と発表。台湾政府がTPPへの加入を申請**（22日）
9・17 **上海協力機構（SCO）首脳会議**（16日〜）で

9・1 菅が「現状で国会解散は不可能」と言明
▽デジタル庁が発足。デジタル相に平井卓也、デジタル監に一橋大学名誉教授・石倉洋子
▽東京都が業務を委託していたコンサルタント会社がサイバー攻撃を受けたと発表
9・3 **菅が自民党臨時役員会で総裁選への不出馬と6日に予定していた人事の見送りを表明**
▽露大統領プーチンが東方経済フォーラム（2〜4日）で北方諸島の経済特区設置計画発表
9・4 **英空母クイーン・エリザベスが米軍横須賀基地に入港。防衛相・岸信夫が乗艦**（6日）
9・8 安倍晋三が支持する高市早苗が総裁選立候補表明。改憲・敵基地無力化・防衛費GDP2％・靖国参拝などぶちあげる
▽4野党が市民連合の仲介で「総選挙での野党共通政策」に合意
9・9 政府が19都道府県に出している緊急事態宣言と、宣言から移行させる宮城、岡山をふくむ8県の重点措置の期限を9月30日に延長
▽警視庁が身代金要求型のサイバー攻撃が1〜6月で61件と発表
9・10 行政改革担当相の河野太郎が自民党総裁選出馬を表明。石破茂が河野支持（15日）
9・11 訪越した防衛相・岸が国防相と会談し防衛装備品・技術移転協定に署名
9・15 **過去最大規模の10万人を動員する「陸上自衛隊演習」が全国で開始。**11月末まで
▽原子力規制委が島根原発2号機の安全審査合格を正式決定

会を実現。大学当局によるコロナ対策に乗じた自治破壊反対と憲法改悪に反対する運動方針案を満場一致で可決
9・19 「終わらせよう自公政権」を掲げた「あいち総がかり行動」主催の集会（名古屋市）にわが同盟が「今こそ全人民の力で自民党政権を打ち倒せ」の情宣。革命的・戦闘的労働者が労組員の先頭で奮闘
9・21 全学連北海道地方共闘会議と反戦青年委員会が日米共同のF15戦闘機訓練反対の千歳現地闘争に決起。つづいて自民党道連（札幌市）に抗議闘争、「戦争と貧困を強制する自民党政権打倒」のシュプレヒコール。札幌駅前で「日米共同演習反対・日米グローバル同盟反対」の熱烈な情宣
9・23 全学連が防衛省に陸自大演習反対の緊急闘争（東京・市ヶ谷）。「日米グローバル同盟反対」を掲げ、「戦争と貧困を強制する自民党政権を打ち倒せ」と訴える
9・25 国学院大学で学生総会を実現。オンライン参加の代議員260名を含め学生自治5団体代議員が活発に討論。当局による「公認規程」適用による自治破壊反対の特別決議をかちとる
〔黒田寛一著作集・第四巻『スターリ

アフガンへの「内政干渉反対」を宣言。「集団安全保障条約機構（CSTO）」とも合同会議（15～16日）、**イランのSCO正式加盟手続き開始を決定**
▽中国軍「東部戦区」が台湾南西部沖で演習、中国軍機10機が台湾の防空識別圏に侵入と台湾が発表
9・19 香港行政長官を選ぶ選挙委員会の委員選挙の投票で「民主派」委員がゼロ議席に
▽ロシア下院選。与党「統一ロシア」が勝利（24日）
9・20 米ニューヨーク市場株価が前週末比614ドル安。中国恒大集団の経営危機が引き金
9・21 国連総会でバイデンが〝権威主義国家〟批判、習近平が〝民主改造は害〟と強調
9・24 **QUAD（米日豪印）首脳会談（米ホワイトハウス）で「自由で開かれたインド太平洋」実現にむけ海洋秩序、経済安保、宇宙分野での連携強化を確認**
▽中国ファーウェイ副会長・孟晩舟と米当局との司法取引が成立しカナダが孟を釈放
▽中国人民銀行が暗号資産関連事業の全面禁止を発表
9・25 台湾野党・国民党の主席選挙、元主席で「中台交流」を謳う朱立倫が当選。習近平が祝電（26日）
9・26 独連邦議会選で社会民主党が第一党に、キリスト教民主・社会同盟は第二党、緑の党が第三党に
9・27 米国防高等研究計画局が外気吸入型極超音速巡航ミサイル飛行実験に成功と発表（速度音速の5倍）
9・28 北朝鮮が新開発の極超音速ミサイルを発射
▽米財務長官イエレンとFRB議長パウエルが連邦政府債務のデフォルト危機と警告。上下院でつなぎ予算案を可決し政府機関閉鎖は回避（30日）

9・17 自民党総裁選告示。岸田、河野、高市、野田聖子の4人が立候補
▽防衛省が在沖米軍のPFAS汚染水をひきとり処理費用を全額日本側で負担と発表
9・18 自民党総裁選候補4人の公開討論会。全体が軍事力強化・改憲で足並みをそろえる。核燃料サイクルをめぐり、見直しを唱える河野と高市・岸田が激論
9・21 米株価急落をうけ東証株価3万円割れ
▽JR東日本が駅などの顔認識カメラで乗客中の出所者を検知していることが明らかに
9・22 米軍オスプレイが仙台空港に緊急着陸
9・24 QUAD首脳会談出席のため菅が訪米。インド首相モディ、豪首相モリソンらとも会談、海洋安保、宇宙分野などで協力強化を確認
9・27 政府がサイバーセキュリティ戦略案を決定。「中国・ロシア・北朝鮮の関与が疑われるサイバー攻撃が増えた」と初めて国名を明記
9・29 **自民党総裁選決選投票で岸田を新総裁に選出。岸田は党幹事長・甘利明、政調会長・高市、総務会長・福田達夫などを決定**（30日）
9・30 日共委員長・志位和夫と立民代表・枝野幸男が「新政権は限定的な閣外協力」で合意
▽政府が全ての緊急事態宣言・重点措置を解除
▽学術会議が昨年任命を拒否された6人の今年任命をあらためて要求
▽JR東海が新幹線で改札での「顔パス」実験を十一月から開始と発表

ン主義哲学との対決』をKK書房から9月に刊行〕

『新世紀』バックナンバー

No.315 2021年11月

カーブル陥落―アメリカの敗走

自民党政権を打ち倒せ／日米グローバル同盟をうち砕け／国際反戦集会基調報告／日本帝国主義の「経済安全保障戦略」／革命的学生運動の大前進を／菅政権の新型コロナ自宅療養強制／オリ・パラ教育／JP労組第14回大会の批判

No.314 2021年9月

米中冷戦下 反戦の闘いに起て

国際反戦集会海外へのアピール／ミャンマー人民弾圧弾劾／感染爆発・医療崩壊下での五輪開催反対／ワクチン加速／社会保障制度改悪／郵政三万五千人削減反対／テレワーク／日共の「未来社会」論／「脱炭素化」をめぐる経済争闘戦

No.313 2021年7月

パンデミック下の解雇・賃下げ攻撃

【労使協議への春闘の解消／「全労連」中央批判／NTT／JCM／電機／私鉄／出版／郵政／トヨタ新「職能給」／日鉄一万人削減】／対中攻守同盟強化／戦争勃発の危機を突き破れ／腐朽を極める世界経済／トリチウム海洋放出弾劾

No.312 2021年5月

人民見殺しの菅政権を打ち倒せ

反戦・反改憲・反ファシズムの闘いを／バイデンの没落帝国主義再建策／中共五中全会／2・14労働者集会基調報告／経団連の搾取強化戦略／「連合」二一春闘方針批判／3・11福島原発事故から10年／「政権交代」を夢想する日共官僚

新 世 紀　第316号（隔月刊）

日本革命的共産主義者同盟　革命的マルクス主義派　機関誌©

発行日　2021年12月10日

発行所　解　放　社

〒162-0041　東京都新宿区早稲田鶴巻町525-3
電話　03-3207-1261　　振替　00190-6-742836
URL http://www.jrcl.org/

発売元　有限会社　K　K　書　房

〒162-0041　東京都新宿区早稲田鶴巻町525-5-101
電話　03-5292-1210　　振替　00180-7-146431
URL http://www.kk-shobo.co.jp/

ISBN　978-4-89989-316-5　　C0030